JUN 1996

MAIN

DATE DUE

El caballero de Sajonia

Colección Autores Españoles
e Hispanoamericanos

Juan Benet

El caballero de Sajonia

Planeta

COLECCIÓN AUTORES ESPAÑOLES
E HISPANOAMERICANOS
Dirección: Rafael Borràs Betriu
Consejo de Redacción: María Teresa Arbó, Marcel Plans, Carlos Pujol y
Xavier Vilaró

© Juan Benet, 1991
© Editorial Planeta, S. A., 1991
Córcega, 273-279, 08008 Barcelona (España)

Diseño colección y sobrecubierta de Hans Romberg

Ilustración sobrecubierta: «El peregrino Gerson», grabado de A. Durero

Primera edición: octubre de 1991

Depósito Legal: B. 29.321-1991

ISBN 84-320-7035-1

Composición: Víctor Igual (Aster, 12/13)

Impresión: Duplex, S. A., Ciudad de Asunción, 26-D, 08030 Barcelona

Encuadernación: Eurobinder, S. A.

Printed in Spain - Impreso en España

Hacia Ansbach

LA TARDE HABÍA DECLINADO y las nubes en pocos instantes mudaron de color para mantener la amenaza que habían sostenido todo el día, antes de que la noche la mitigase. Tan sólo en el horizonte, tras una cerrada formación de abetos, una franja de oxidado metal predicaba una hora prematura, muy anterior al crepúsculo, con la desgana de un anuncio anticuado, semiborrado y de sobra conocido, al que nadie ya prestara atención. Se había terminado el día demasiado pronto y el jinete no pudo evitar una sensación de malestar al pensar en otra noche más de viaje, antes de alcanzar la siguiente etapa, camino de su destino.

—¿Cuánto crees que falta? —preguntó a su guía que caminaba con la cabeza encorvada, un poco por delante de la caballería y con las manos a la espalda, sosteniendo el ronzal.

No le contestó aunque sí le oyó. Tan sólo ladeó y alzó algo la cabeza, sin llegar a mirarle, para darle a entender que no podía o no sabía dar respuesta cabal a su pregunta. No conocía bien aquellas tierras; su misión no era tanto guiarle como darle protección; una disimulada protección pues en aquellos tiempos turbulentos un par de hombres poco podían hacer contra cualquiera de las numerosas partidas armadas que vivían del asalto y mejor podían confiar en su aspecto humilde que en el uso de la fuerza contra la posible agresión. Por eso habían optado por una mula en lugar de un buen palafrén, presa siempre codiciada por los bandidos, y por amplios, groseros y pesados gabanes de lana cruda en lugar de buenos abrigos forrados de piel, propios de comerciantes y viajeros prósperos. Por eso también habían partido con una escasa bolsa de viaje que les imponía el alojamiento en los más humildes albergues —cuando no estaba a su alcance hacer uso de las cartas de recomendación dirigidas a sus amigos y deudos por el secretario Henrici, en nombre del elector— y las refacciones más austeras.

Todo ello había contribuido, en no poca medida, al humor adusto que el caballero Jorge había mantenido durante toda aquella parte del viaje por tierras de la Baja Franconia en dirección al valle del Altmühl. Un viaje cuyo objeto ni siquiera había comprendido muy bien y emprendido a causa de la insistencia de quien sólo para aquellas minucias podía y debía considerarse superior suyo. No en todo lo demás, no en lo verdaderamente importante cuyos lindes él conocía muy bien y en cuyo ámbito no reconocía jerarquía alguna. Así lo había hecho saber numerosas veces, así había sido aceptado por algunos superiores suyos; y tal vez por eso, o a cambio de eso, tenía que admitir la obediencia en otras materias, como un trueque de potestades, que le obligaba de tanto en tanto a llevar a cabo cometidos y encomiendas que por sí mismo nunca habría emprendido; entre otras cosas, aquel viaje cuyas fatigas venían a sumarse a la desazón provocada por la idea de ser utilizado para fines que no habían sido suficientemente esclarecidos. «Un juguete de más altos designios», una frase que ya había escuchado antes y que incluso había hecho suya y utilizado en dos ocasiones, si no recordaba mal, con un tono despectivo; que ahora bien podía volverse contra él en cuanto aquellos poco menos que velados propósitos se demostraran en pugna con sus convicciones. ¿Convicciones? Tal vez no era la palabra justa; en sus largas y monótonas meditaciones una y otra vez se veía a sí mismo empeñado en la búsqueda de la palabra justa, la minúscula y tantas veces recóndita joya capaz por sí sola de iluminar con la verdad un texto equívoco. La palabra de Dios, cedida en préstamo al hombre para comunicarse con él y obtener con el diálogo la comprobación de la ley.

No quería por el momento pensar en sacrificios y esfuerzos; sabía que vendrían —pues no había sido despachado para otra cosa, estaba seguro— y que tendría que encararse a ellos con un procedimiento ya conocido y con los mismos medios de los que se había servido en los últimos años: con la fuerza de su alma y el ardor de sus convicciones —¿convicciones?, no, no eran convicciones— y sin necesidad de premeditar sobre el nuevo dilema, la nueva oferta de sus enemigos y adversarios. No podía ser otra cosa; en lo sucesivo nunca sería otra cosa, estando su vida terrenal marcada por aquella pugna que no cesaría jamás. No quería cansarse, llegar fatigado al momento de la prueba y sabía de sobra que nada le aturdía tanto como la lucha contra sus propias palabras.

Aquel agotador balanceo de la mula le obligaba a pensar. Pero no mucho; tan sólo dos o tres frases imperfectas a las que volvía una y otra vez con el no apremiante deseo de finalizarlas para pasar a otra cosa, a un recreo de la memoria que tampoco daba para mucho, como si todo el viaje no tuviera otro objeto que bambolear lentamente su cabeza y mantener en constante agitación sus ideas. Más que ideas, que no tenía por qué barajar muchas, sus palabras, surgiendo del inextinguible y oscuro pozo del pensamiento al compás de los pasos de la mula. La mayoría eran las mismas de siempre hasta que una inesperada cruzaba fugazmente un repertorio demasiado conocido y repetido, para iluminar por un instante un ámbito ignorado, una acepción inédita por más certera y reveladora que insinuaba una nueva dirección a sus cogitaciones. Pero no quería pensar en la nueva controversia que le esperaba, pues sin duda se trataba de eso. No quería preparar argumentos de antemano a fin de, llegado el momento, construir un razonamiento bien compuesto, imposible de ser desmontado, poco menos que inexpugnable. Eso no era lo suyo; prefería improvisar a partir de un principio firme e indiscutible, tal era la confianza en su fe. Estaba seguro de que en todo momento sabría encontrar multitud de recursos salidos de aquel único principio, sin necesidad de prepararlos y meditarlos, a poco que tuviera necesidad de ellos; un principio inagotable, capaz de suministrar toda clase de respuestas, o una misma y única respuesta aderezada con los adecuados revestimientos, a la más intencionada e insidiosa casuística. Allí veía una vez más la maldad del intelecto, el olvido de su origen para alcanzar un demoníaco fin no previsto en él, y por eso prefería no discutir consigo mismo, no entrar en la dialéctica, no anticiparse a la controversia ni preparar su discurso.

Habría deseado contar con un compañero más locuaz, más joven también, para poder conversar con él en el transcurso del viaje, entre dos jarras de cerveza, de cosas menudas, problemas domésticos y chismes del vecindario; e incluso atender a algún que otro problema de conciencia de orden rústico —con que los paisanos alardeaban de contar con una formación moral— que tanto le gustaba despachar sin ninguna clase de miramientos. Pero aquel hombre era intratable y tampoco podía estar seguro de que le sería de mucha utilidad en un trance apurado. Era fuerte pero no resuelto. En dos ocasiones se había extraviado, echando a perder varias horas en inútiles recorridos y alterando sustancialmente el itinerario que se había trazado, y ni siquiera se había molestado en ofrecer sus excusas, como si la responsabilidad no hubiera recaído sobre él. Aún parecía más molesto que él por tener que hacer aquel viaje sin duda mal remunerado o, peor todavía, obligado por algún compromiso que sólo le acarreaba molestias. No pertenecía a la servidumbre de Wartburg, nunca se había topado con él a lo largo de su estancia en el castillo o en sus largas excursiones por la comarca. Era otra de las medidas de seguridad de Henrici, quien había llegado acompañado de él, cuando trajera el mensaje del elector, y se lo había cedido en calidad de escolta. En Wartburg su verdadera personalidad poco a poco se había dado a conocer y de los establos y las cocinas, donde casos como el suyo daban para más conversaciones que las convenientes, se había extendido hasta el vecindario, las granjas, los albergues y las casas de postas desde donde la noticia había partido hacia otros lugares del país. El secretario y ecónomo sin duda no fiaba gran cosa a la lealtad y discreción de sus gentes y había preferido recurrir a uno de fuera —en todo ajeno a la vida secreta y auténtica personalidad del caballero— que ni aun queriendo hubiera podido cometer la más inocente delación. Pero sin proponérselo no había podido encontrar un compañero de viaje más incómodo, más huraño y gruñón, más tosco. De haberlo conocido de antes sin duda lo habría sustituido por otro, hasta por una compañía más arriesgada, pues aparte de su seguridad importaba sobremanera al secretario —celoso cumplidor de las instrucciones del elector— que el caballero llegara a su punto de destino con el mejor ánimo, dispuesto a soportar la prueba con un talante abierto y un humor reconfortado. Por eso le había concedido también un plazo dilatado, instándole a que no se tomara el viaje con prisa y lo aprovechara para visitar unas regiones que desconocía y aun cuando escatimara los viáticos hasta un punto exagerado, a juicio del viajero. Al hacerlo así estaba pensando en su otra vida, informada por la austeridad, no obstante el caballero le hubiera dado durante su estancia en Wartburg suficientes pruebas de su innata disposición a disfrutar de los bienes terrenales y de sus bien meditados principios, más de carácter teológico que ético, que le impulsaban a no rechazar los placeres y demandas del cuerpo. Tan sólo, había repetido en ocasiones, era preciso aprender a no ver en ellos únicamente las ofertas del demonio, como quería una mayoría de teólogos rancios, involucrados en el verdadero mal, y a saber trazar la no muy difícil ni escondida frontera entre el goce y el pecado. Había añadido que quizá uno de los mayores pecados consistiera en retraer esa frontera —y en modo alguno de manera gratuita— para reducir el ámbito de la conducta cristiana a fin de entregar el territorio dudoso a la jurisdicción de la Iglesia, por encima de la propia conciencia, y así incrementar sus potestades; un pecado, además, de soberbia que permitía alterar para provecho del clero los límites impuestos por Dios al hombre a través de las leyes naturales.

El celibato; todo ello le llevaba a la tan debatida como insufrible cuestión del celibato sobre la que, por su gusto, no querría debatir más habiendo dicho lo que tenía que decir y tomado una resolución acorde con su conciencia, sus opiniones y hasta sus conveniencias. Se temía que se trataba de eso, una última o penúltima llamada a la sensatez y al acatamiento de la disciplina eclesiástica, al respeto a sus propios y —no podía olvidarlo— voluntarios votos y la renuncia al mal ejemplo que tan desastrosos efectos podía tener sobre toda la comunidad, incluso en el orden civil. Estaba seguro de que se trataba de eso y de que, incluso con la participación de alguno de sus más íntimos amigos —refugiados en un sospechoso silencio en las últimas semanas—, en torno suyo se había instruido una conspiración para hacerle desistir de unos propósitos que muy pocos conocían. En cierto modo, una amistosa conspiración, carente de toda animosidad, organizada entre amigos leales y fieles seguidores que discrepando de él en aquel punto no pretendían sino recurrir a la persuasión, utilizando reconocidos magisterios, para que se alejara de sus opiniones al respecto (porque la palabra retractación estaba proscrita, tal era la exaltación que le provocaba) y se atuviera él mismo al celibato.

El momento era delicado; había entre el aire y la tierra demasiados problemas de todo orden como para incrementarlos con una espinosa cuestión de segunda fila que, además, podía ser enarbolada como un motivo de desunión en las todavía no muy cerradas filas de los rebeldes, en su mayoría sujetos y atentos a diferentes fueros y sólo vinculados por causas mayores. Podía interpretarse así y también como el primer paso, por más intrascendente más aceptable para todos, hacia un nuevo intento de concordia entre las diversas facciones. Ya había oído cómo algunos predicaban la conveniencia de buscar la concordia en lo menudo, para de ahí progresar gradualmente hasta llegar a una promulgación unitaria en materia dogmática. Tal método no podía repugnarle más; no sólo le parecía una manera oblicua, y harto falaz, de abordar los problemas apologéticos, sino un atentado mismo a los fundamentos de la fe. Por supuesto, había meditado y decidido, que si se trataba de eso adoptaría desde el primer instante una actitud de oposición frontal a esa iniciativa y no vacilaría en negarse a cualquier acuerdo sobre una cuestión colateral —fuera el celibato o la comunión con las dos especies— si implicaba una posible renuncia a posiciones de más fundamento. Sobre determinadas cuestiones se hallaba dispuesto a no dar un paso atrás y a resistir a cualquier presión con toda la fuerza de su alma, fuera ante quien fuera, convencido como estaba de la intrínseca coherencia de todos sus argumentos con el conjunto de la doctrina. Ni siquiera renunciaría a ella ante el propio Staupitz de quien sabía que había insinuado un gesto de malestar cuando le fueron con el cuento de su matrimonio, en una de tantas embajadas de descrédito.

Se había hecho a la idea de que era enviado para enfrentarse cara a cara con Staupitz en cualquiera de las casas del sur. Pero ¿por qué en el sur? ¿Acaso había trasladado allí su residencia por una larga época? ¿Acaso porque contando allí con menos partidarios, su resolución tendría —si consistía en una parcial retirada a posiciones más flexibles— una inicial acogida favorable, sobre todo entre algunos de sus adversarios, para luego ser aceptada gradualmente en tanto viajaba hacia el norte? Todas eran posibilidades que le producían un serio malestar, como tantas cuestiones y causas políticas que se permitían utilizar sus opiniones y hasta su persona para finalidades que ni siquiera perseguía porque no le importaban gran cosa. Todo ello podía haberlo despachado en Wittenberg, en menos de una hora, y así se habría ahorrado un viaje de varios días que sólo suponía una pérdida de tiempo, de dinero y de energías malgastadas en uno de tantos malhadados intentos de resolución de los conflictos poco menos que parroquiales, los más dañinos para la unidad y la fortaleza de la confesión evangélica. Una vez más, saturada su paciencia por los incesantes reproches que hasta sus partidarios aireaban acerca de su intransigencia y de su tozudez, había decidido condescender y, al tiempo que dar una prueba más de su ductilidad hacia cualquier proposición que respetara sus principios, acceder a la propuesta del elector a la que por otra parte no era fácil sustraerse. El carácter velado o casi oculto de su solicitud —disimulada con las expresiones más convencionales, «para el bien de todos» o «las razones que nos asisten»—, si bien la hacía un tanto sospechosa, la amparaba ante cualquier apresurado rechazo que sin duda confirmaría ante los ojos del elector las opiniones que cundían acerca de su cerrazón, cuando más necesitaba su protección y más acosaba a su propio espíritu con el mandato de humildad.

—¿Cuánto crees que nos queda? —preguntó de nuevo a aquel hombre incómodo que aprovechaba cualquier circunstancia para poder dar una nueva muestra de su rústica socarronería.

—Lo que tarde la mula en llegar —dijo Werra y añadió un comentario para sus adentros que le pondría a la par de cualquier dignidad y por encima de toda sabiduría de pupitre.

Era el ejemplo del ingenio que más detestaba y el que, por sus orígenes, mejor conocía. La clase de ingenio por la que asomaba la naturaleza desviada y corrompida del rústico de poca fe, tan sólo fiado a su malignidad. Una prueba más de la falta de humildad que veía por doquier, incluso en las criaturas que algunos (muy a la ligera y atentos solamente a ciertos aspectos de su debilidad) tomaban por las más queridas del cielo. Una habilidad deletérea, inaprensible, inmensurable y casi líquida —en contraste con la solidez de un saber cimentado cada día en el arrepentimiento—, que parecía capaz de desafiar todo propósito de adopción para formar con ella el patrón de una conducta. Una virtud que no tenía fondo ni tampoco rostro. Quizá nada como ella —o más bien, como su práctica— para demostrar la naturaleza fluida de la fe y hacer visible, aunque no comprensible, la primera muestra del misterio, el toque con que la divinidad había animado y despertado al hombre para que nunca se sintiera seguro de sí mismo. Se diría que le quería inquieto, incesantemente perplejo y no tan absorto en la contemplación del misterio como confundido con él y por él y por eso impulsado a no caer ni en la complacencia de la seguridad ni en la inteligente búsqueda de la resolución del enigma de la voluntad divina.

Sin proponérselo —y menos aún, sin el menor deseo de ahondar en aquella comparación— había entrevisto entre dos cabezadas en la somnolencia la similitud de aquel viaje con el destino de un hombre de fe; obediente a un mandato y alimentado por la consecución de un fin —el único fin al que debía y quería aspirar, tras haber desdeñado muchos otros—, no podía sino lamentar el conjunto de vicisitudes ante las que necesariamente era colocado aquel que debía alcanzarlo. En una conciencia trasera —como un desván— permanecía arrinconada una vaga nostalgia de la inexistencia, el infantil deseo de haber quedado en la casa de las sombras, desechado por un alto tribunal para tomar parte en la lucha espiritual. Para no caer en tal nostalgia, a la fuerza tenía que suponer que debía detestar el manso estado del hombre de poca fe, tan sólo atribulado por las pequeñas cosas de cada día, los disgustos domésticos y los insufribles apetitos del cuerpo, tan difícilmente dispensables.

Ya cerraba la noche y quedaba poca luz, ni siquiera suficiente para distinguir los hábitos de los dos personajes fundidos en un casual encuentro, más allá de toda previsión. Eran las reglas del juego, la fuerza de la indeterminación. Hasta sus voces llegaban disueltas en una combinación de circunstancias que parecían haber huido del color para prevenir la noche, palabras que ni tenía intención de escuchar para no sospechar el engaño o la estratagema con la que —como le habían advertido antaño en el castillo— en cualquier momento tratarían de desviarle de su destino. Y en efecto, tuvieron que desviarse de su camino para tomar otro a la izquierda, en una tenebrosa encrucijada, y enfilar una masa de arbolado tan densa como una plancha de metal apoyada en el descolorido cielorraso del firmamento.

Llamaron repetidas veces, con fuertes golpes de sus puños, sobre una hoja tan gruesa que apenas devolvía otro sonido que la protesta de su insomne materia. No era una hora tardía para un local como aquél y sin embargo puertas y ventanas se hallaban cerradas y trancadas y pasó un largo momento hasta que les fue franqueada la entrada, no sin un previo y malhumorado interrogatorio. «Una noche más en el infierno», pensó, en aquel infierno de la desconfianza y el miedo que dominaba todo el país desde casi una década. Nadie se permitía dejar una puerta o una ventana abiertas desde una hora antes del crepúsculo, tal era el resultado del despertar de la revuelta popular.

El local estaba tan mal iluminado que en un principio lo creyó vacío. Sólo cuando volvió Werra del establo y sus pupilas se habían acostumbrado a la penumbra advirtió la presencia de unos clientes —o lo que fueran— acomodados en un banco bajo la escalera, ante una larga mesa de una sola pieza. El más visible, sentado en un extremo, era un mozalbete de aspecto estúpido y maligno, que no cesaba de reír para sus adentros y hacer comentarios socarrones a sus compañeros tras cada mirada a hurtadillas hacia su persona. No se sintió cómodo; el local era lóbrego, la compañía, poco tranquilizadora y de la cocina emanaba un detestable olor a berza cocida, propio de un convento.

Le señalaron un catre en el altillo de la casa donde se dispuso a matar el tiempo para no cenar en compañía de Werra. Si le era posible, prefería mantener las distancias aunque le tocara la peor parte de la cena o del alojamiento. Era un desván amplio y oscuro, un tanto caótico, donde tras un cortinón agujereado se habían ido acumulando camastros, restos de muebles y trastos viejos, que no había conocido el paso de la escoba en muchos días; pero al menos contaba con una rústica mesa y un taburete y al punto le vino la idea de aprovechar aquel rato perdido para escribir a cualquiera de los amigos con quien se hallaba en deuda epistolar. Dejó el hato en el suelo y sin desembarazarse de su abrigo, tal era el frío de la habitación, dispuso sobre la mesa la faltriquera y el recado de escribir.

Mojó la pluma y de un tirón escribió:

Al sabio y piadoso Ecolampadio, discípulo y fiel servidor de Cristo, hermano suyo en el Señor.

Gracia y paz en Cristo. En primer lugar quisiera rogarte, óptimo Ecolampadio, que no achaques a ingratitud o negligencia por mi parte el hecho de no haberte escrito en los últimos tiempos. Por otra parte, poco hemos sabido de ti desde tu salida de Santa Brígida. Felipe, que goza de forma especial recordándote, no cesa de acrecer cada día la estima que te profeso.

Que el Señor confirme tu proyecto de exponer a Isaías. Se me ha dicho que tal cosa desagrada a Erasmo. No te afecte esta displicencia. Yo también recibo sus dardos aunque él se ocupe a la perfección de disimular públicamente ser mi enemigo.

Ahí se detuvo y quedó indeciso, considerando que tal vez no fuera el momento adecuado para redactar una carta que llevaba meditando desde semanas atrás, cuyo contenido tenía que considerar con sumo tacto si quería salir al paso con ella de la creciente aproximación de Hausscheim a las tesis del humanista holandés. Pero no descontento del todo del texto lo guardó enrollado en la faltriquera para concluirlo en un momento de mayor tranquilidad.

Abrió un ventanuco para orear la habitación y acaso para mitigar su desazón (y dar tiempo a que Werra cenara) dio en rezar, con la mirada puesta en un cielo sin accidentes, indiferente a toda súplica, ni siquiera dispuesto a mostrarle un equívoco signo. No era aficionado a aquellos gestos; desde su juventud había sentido una inconfesable aversión a las actitudes recogidas y las maneras rituales, establecidas por la disciplina, para dirigirse al Señor; aquella forma de oración, consagrada de antemano y regulada por horas y cánones, siempre le había parecido poco menos que una ofensa al principio que la animaba, regido por la espontaneidad y el sumario reflejo a cualquier olvido mundano. No le agradaba arrodillarse, ni entrelazar sus manos, ni bajar la cerviz; con ello, como en tantas otras manifestaciones casi escénicas de la piedad, la humildad no hacía sino disfrazarse de humildad y servir al demonio de las apariencias. Prefería con mucho rezar de pie, con la mirada al frente y las manos a la espalda. En cualquier momento, incluso en las ocasiones en que la disciplina imponía la oración y entre los bisbiseos y suspiros de sus vecinos, podía abrirse aquel insondable abismo del misterio en el que su espíritu trataba de indagar —al igual que el naturalista observa al ser vivo o el astrónomo a las estrellas, para deducir de sus movimientos la incógnita fuerza que los anima— el lugar de la humildad —siempre oculto—, apenas perceptible y poco menos que incompatible con aquel punto de satisfacción que brillaba en los rostros de la devoción; por eso mismo prefería con mucho dirigir sus súplicas y preguntas al Señor cuando nadie ni nada le obligaba a ello, al margen de la disciplina y a veces a costa de un asueto que no podría emplear en mejor cosa. Sabía muy bien que era una forma de rebeldía, una forma larvada y privada que a duras penas confesaría y de la que nadie, por ende, podría hacerse eco pero por eso mismo más pecaminosa y grave. En cierta ocasión, hacia la mitad de su estancia en el Claustro Negro, había sido amonestado por el doctor Nathin —que no siendo su mentor bien podía haber pasado por alto el detalle— tras haber topado con su mirada reprobatoria, por encima de todas las cabezas humilladas, durante uno de los oficios. A la salida de la iglesia el doctor Nathin le llamó aparte para señalarle que aquella leve infracción no podía ser sino consecuencia de un orgullo cuyos gérmenes era preciso extirpar tan pronto como se manifestaran, a fin de prevenir y abortar una invasión más dañina del mal de Satán. Al tiempo que agradecía la circunspección del doctor Nathin (en contraste con su mentor, que sin duda habría aprovechado el hallazgo para denunciarle en público), se prometió a sí mismo que jamás sería amonestado de nuevo y que aun a costa de una mayor insinceridad en sus actitudes nunca se dejaría denunciar por sus impulsos para, como el que más, conformar sus hábitos a las normas disciplinarias. En aquella doble conducta una parte al menos era de mucho aprovechamiento: la que servía para refrenar las reacciones individuales y una a una sancionaba las normas de la colectividad, repetidas a lo largo de los siglos. Lo cierto es que no tuvo que lamentarlo; años más tarde podría decir que «al igual que muchos otros, había podido comprobar qué tranquilo y pacífico se mostraba Satán durante los primeros años de la vida de un monje» y considerar que acaso el maligno tenía sus predilecciones e, incapaz por un solo momento y ante un caso particular de desentenderse de su orgullo, sólo se avenía a tentar a quien se sintiera seguro y preparado para resistir sus insidias, por lo mismo que un hombre ingenuo con ánimo de llevar a cabo una estafa es la presa más codiciada para un estafador avezado.

Si tan fácil le fue dominar ciertos impulsos, sobre todo en el momento de cubrir las apariencias, en cambio nunca fue capaz de solventar o tan sólo desterrar las dudas acerca del cabal alcance de una humildad que para ser genuina no se podía conformar con el disimulo. Con frecuencia se decía a sí mismo que tal vez le valiera más dar libre salida a su naturaleza —y recibir por ello el pertinente castigo hasta llegar a comprender y odiar la intrínseca naturaleza de su maldad, para poder vencerla— que cobijarse en una apariencia de virtud, tan fácil de ser adoptada y tan libre de toda sospecha, bajo la cual e incluso burlando su vigilancia tantas vías al pecado podían abrirse. Sin duda —pensó siempre— Satán agradecería y alabaría ese método que le permitiría alojarse en su alma sin gran truculencia y ganar un adepto poco descarado. Acaso por eso dio en adoptar una tercera vía, más exagerada y exigente, reconfortado por la tan a menudo predicada confianza en la práctica de los ejercicios y en la ocupación permanente y forzosa de todos sus sentidos en una única idea. Por tanto no se conformaría con la disciplina sino que la llevaría y prolongaría hasta límites insoportables, sin siquiera dejar presumir un celo que guardaría para sí, avaro de los beneficios que podría reportarle y que en modo alguno deseaba invertir por el momento en un mayor aprecio hacia su persona por parte de sus superiores, maestros y condiscípulos. Ya que se trataba de un problema de índole interna y privada —esto es, hasta dónde debía calar la humildad para mejor comprender la voluntad divina y en qué expresiones nunca debería traducirse—, nadie tenía por qué intervenir en su resolución y cualquier forma venial de disimulo le parecería admisible con tal de dejar a resguardo sus compulsiones.

Pero de la misma manera y con la misma prontitud con que había advertido en la iglesia las manifestaciones de aquel orgullo adolescente que todavía no había aprendido cabalmente a qué obligaban los votos del claustro ni comprendido qué finalidad espiritual perseguían las reglas corporales, la penetrante mirada de Nathin descubrió pronto los síntomas del tenso estado al que habían conducido al joven fraile sus anteriores amonestaciones. Hasta su saludable aspecto de antes se había visto afectado y en su cara demacrada asomaron las muestras de los azotes que infligía a su alma. Le llamó de nuevo y de nuevo le reconvino; le dijo que era menester atenerse a lo que estaba mandado y aceptar la disciplina en su justa medida, ni en más ni en menos, y que toda innecesaria y exagerada atrición sufrida en secreto podía considerarse provocada por el mismo orgullo que inducía al desacato y, por ende, censurable y punible en la misma medida; que considerara que aquel camino que había emprendido no tenía fin en la tierra y que siendo incapaz por sí mismo de alcanzar la confianza del Señor bien podía caer por desesperación en la *tentatio tristitiae*, aquel horrible abismo del que, si se arrojaba a él, nadie en el convento le podría sacar; que confiara pues en la comunidad, en sus reglas y prácticas, y que nada bueno obtendría si persistía en su propósito llevado en un sentido u otro, hacia el orgullo o hacia la humildad, de distinguirse del resto de ellos para encontrar por sí solo el camino de la verdad y el favor de Cristo. Y por último le dijo, mirándole a la cara con fijeza para que advirtiera que reparaba en los estragos que sus excesos habían causado, que estuviese atento a la salud del cuerpo, como era de precepto, al que no debía ver ni como un enemigo ni como el inductor del pecado sino como el soporte del alma, no homogéneo pero consistente con ella, de acuerdo con la doctrina del santo patrón.

Fue por aquellas fechas cuando trabó amistad con Staupitz. Desde su cátedra de «lectura in Biblia» había reparado en aquel joven de facciones rudas y mirada tenaz, que nunca parecía satisfecho y al que llamó al confesonario. «¿Por qué estás triste?», le preguntó. «No sé a dónde dirigirme», fue respondido. «Ah, esa prueba es necesaria —le consoló Staupitz—, de otra suerte no servirías para nada.» El otro creyó estar escuchando directamente a san Pablo («la fuerza culmina en la flaqueza») y a partir de aquel día no pudo ocultar al vicario, en el confesonario, en el claustro o en la huerta, ninguna de sus muchas inquietudes. Y fue él quien le suministró la clave para despejar, sin necesidad de comprenderlos mediante una disciplina intelectual, los enigmas siempre recurrentes de la predestinación. «Imagínate a Cristo en tu interior —le dijo—, y la predestinación está asegurada. De lo contrario, todo está perdido.»

Una vez más aquel rezo había sido incoado por el temor, un temor tan recurrente como el afán de la mente por comprender lo incomprensible. Llevaba días en que de súbito se sentía asaltado por el miedo, una aprensión en cierto modo nueva —y tan diferente de la que le había atormentado tantas horas nocturnas durante sus años de estudio— y contra la que no sabía oponer otro recurso que el no demasiado fructífero ensayo de transformarla en el santo temor con el que se sentía familiarizado, aun cuando no llegara a conocer el ámbito que con él se abría, cosa que también le ocurría con algunas lecturas. Tenía ganas de llegar a su destino y saber por fin qué le deparaba aquel viaje tan incómodo; ya llevaba dos fechas de retraso, con respecto al plan que se había trazado de antemano, por culpa de los extravíos, las improvisaciones y las exageradas precauciones que se tomaba aquel hombre siempre alarmado por la posible aparición de bandidos y partidas de revoltosos, y en cada estada —por muy forzosa e imprevista que fuera— veía la influencia de una mano equívoca e invisible decidida a obstruir su viaje, distraer su marcha y prolongar aquel itinerante martirio. Se había convenido que no abandonara su anonimato, que dejara en manos de Werra las decisiones de cada mañana y en su recelo creía ver caras hostiles por doquier y, peor aún, una previa disposición a su llegada y poco menos que una silenciosa conspiración para conducir sus pasos sin su conocimiento hasta el término del viaje. Nunca se había sentido menos dueño de sí mismo, manejado y zarandeado hasta por la mula e invisiblemente amenazado. Su inquietud había ido en aumento en las últimas jornadas y ninguna amenidad podía distraerle de su permanente malestar o de la involuntaria zozobra que le invadía en cada encrucijada o junto al lindero de todo bosque, por temor a que el incidente de Waltershausen volviera a repetirse pero con un desenlace más ingrato. Desconfiaba de aquellos revoltosos campesinos, «reos de muerte en cuerpo y alma... felones, perjuros, desobedientes y sediciosos, bandidos y blasfemos» y ante la más pacífica alquería sentía que resonaban sus palabras para denunciarle y clamar por la revancha; por eso prefería rehuir los contactos, a costa de algún que otro rodeo, mantenía las distancias, dejaba que su inepto guía resolviera a su manera las diligencias de cada caso y sólo intervenía, con manifiesto mal humor, cuando éste se demostraba incapaz de resolver el pequeño problema del momento.

Bajó y se sentó a cenar en un rincón apartado y peor iluminado que el resto del local, con la demasiado ostensible hosquedad de un caballero obligado por la necesidad a visitar un lugar que no le corresponde y tratando de replicar con la indiferencia a las habladurías de los otros clientes y sus descaradas miradas, cebadas de curiosidad y sarcasmo. Pero no podía sentirse cómodo, no le gustaba el local y la cena era detestable, una sopa de patatas, berza, nabos y remolacha con unos apenas comestibles trozos de tocino salado en demasía; ni siquiera acompañada de cerveza sino de un jarro de agua de cebada, acaso aprovechada de un saco de pan duro. Una mujer entrada en años, de aspecto rapaz y voz ronca, dominaba la mesa de enfrente incluso cuando al extremo de ella se fue a sentar un hombre de su misma edad y parecidos modales y que en respuesta a los cuchicheos del jovencillo insolente también le dirigió espaciadas miradas, por encima del hombro. No se había despojado del gabán a causa del frío de la estancia, dispuesto a despachar la cena en el plazo más perentorio, tan sólo prolongado por la morosidad de la sirvienta y la insufrible temperatura con que habían disimulado la falta de sustancia y condimento del potaje.

Su sueño fue inquieto, sufrió unas pesadillas; sudaba a causa de la pesadez de los cobertores pero no podía retirarlos por el frío que reinaba en el altillo, más inhóspito que la propia intemperie. La regla de la disciplina monástica le había acostumbrado a despertarse temprano —acaso contra su naturaleza, nada indolente por otra parte— y a aprovechar las primeras horas del descanso nocturno con un sueño profundo, verdaderamente catártico, para despertar luego en un limbo de inocencia del que al punto sería arrebatado por la conciencia del pecado y la falta, siempre presente en sus horas reflexivas. Sin embargo aquella noche durmió mal, a causa de aquel indigesto potaje, agitado por imprecisas imágenes malsanas, formas indefinibles que una y otra vez le envolvían en las redes de la concupiscencia.

No habían transcurrido tres horas de descanso cuando un súbito golpe de inquietud le hizo despertar, espoleado por ciertos murmullos y movimientos al otro extremo del cuarto donde había depositado su hatillo y sus efectos, extendidos por el suelo fuera del alcance de su mano. Un bulto que no se cuidaba de disimular sus apresurados movimientos se afanaba en removerlos y rebuscar entre ellos, con una respiración entrecortada. Se levantó de un salto, se abalanzó sobre el extraño, rodaron por el suelo. El otro lanzó un grito y sobre las tablas del entarimado sonaron los pasos apresurados de alguien y al poco un peso amplio y blando cayó sobre él, de costado, al tiempo que el del suelo emitía un prolongado gemido. Recibió un fuerte golpe en la espalda. Se revolvió y trató de sujetar el cuerpo que le oprimía pero un gabán o un manto de gruesa tela de lana impidió que sus dedos se afianzasen sobre algo firme al tiempo que recibía un segundo golpe de puño en la sien, seguido de otro al lado opuesto del cuello que por un momento le dejó sin respiración. Un par de manos sujetaron su muñeca derecha abatiéndola sobre el entarimado —sin duda las del ladrón, que había logrado escabullirse— mientras el otro con todo su peso se acostaba sobre su pecho. Cambiaron unas palabras; había acudido un tercero que con su brazo le atenazó el cuello; un brazo poco robusto del que con facilidad logró desasirse. El caballero Jorge era fuerte y recio, de amplias espaldas y pulso firme, pero no sobrado de estatura. Dio unas voces y pataleó y de nuevo percibió el ruido de unos pasos que subían atropelladamente la escalera y esperó que fuera Werra que acudía en su ayuda. Entonces por la masa opulenta y blanda que sentía sobre el pecho comprendió que se trataba de una mujer; le clavó el codo en la boca del estómago y reconoció la voz ronca de su vecina de mesa. Recibió una patada en la cadera y con el pie alcanzó al último en llegar. Entonces eran dos los que estaban encima suyo o tal vez tres; tenía un brazo inmovilizado y uno de ellos le agarró por los tobillos; una mano encallecida comenzó a hurgar por debajo de sus ropas —se había metido en la cama con

31

un camisote de lino— y a arañar su vientre con unas uñas como rastrillos. Dijeron palabras inconexas; apenas se hablaban mientras manipulaban su cuerpo, desde la cabeza hasta los tobillos, como si se tratara de un animal en el degolladero, como silenciosos y oscuros matarifes. La mujer emitió una serie de palabras obscenas, entre risotadas, y la misma mano con que le había arañado empuñó su miembro que agitó y masturbó hasta provocar no sin esfuerzo la erección del caballero que, entre asordinadas protestas, no quedó en disposición de prolongar el debate. Entonces la mujer se montó a horcajadas e inició la fornicación con sus manos apoyadas en el suelo. El caballero alcanzó a escupirle y ella le largó un enérgico bofetón en la mejilla, sin dejar de fornicar Pese a sus esfuerzos por resistir el acoso su naturaleza se rindió y quedó abatido sobre el suelo, con la boca seca y entreabierta y fuertes palpitaciones, los regueros de sudor corriendo por su cara y su cuello mientras le despojaban del camisote.

Se sintió al mismo tiempo desmayado y colérico, más por la afrenta y la humillación sufridas que por aquella involuntaria caída en el mal a la que (de sobra lo sabía, no había hecho otra cosa en su vida que cavilar sobre aquella terrible e insondable condición) el cuerpo estaba en constante disposición de aceptar. Se conocía en sus arrebatos; sabía que un humor de fuego se engendraba entonces en sus entrañas —y con toda seguridad enrojecía su rostro, dilataba sus venas, agarrotaba su garganta y oprimía su corazón con un guante de madera— para ascender hasta la boca no para hablar sino para gritar. Tenía que dominar su furor —que tantos disgustos le causara en el Claustro Negro— con aquella interna disciplina (repetición de memoria y de corrido de una letanía de palabras sedantes) que sólo contra su voluntad había aceptado y logrado aprender.

Tal vez no pudo o no quiso, tal vez no consiguió dominar la cólera con las fórmulas ensayadas para otras ocasiones menos tempestuosas o tal vez —prueba suprema del desdoblamiento del alma más íntegra— prefirió demorar el perdón y el arrepentimiento y dedicarlos después a sí mismo, tras consumar la revancha con el impulso más directo y automático, sin dejar paso a la piedad. Apenas entreveía sus cuerpos fundidos en un apretado corro, ocupados en el recuento o el reparto de un botín muy escaso. Quizá el cuerpo aceptó demasiado pronto la consigna impuesta por el espíritu enfurecido y la obedeció con suma diligencia. La agarró por los hombros, la mujer soltó las prendas que tenía entre manos y declinó hasta caer de espaldas sobre el suelo, al tiempo que volvían las risas entrecortadas, las palabras obscenas y las pisadas apresuradas en la escalera. No lo dudó, tampoco tuvo que forzarla. Toda su saña fue a estrellarse en un torbellino de partículas iridiscentes, con el zumbante diapasón de su carne en incoercible y sibarítica vibración, contra una masa de grosera complacencia, contra la burla carnal a su airado espíritu, más escarnecido por la salaz y no convincente administración de su venganza que por la repetición del pecado y la afrenta.

Eichstätt

EL DISPENDIO LE MOLESTABA y hasta ofendía; tanto por el papel del que se mostraba tan avaro como por el esfuerzo malgastado y que bien administrado y dirigido habría concluido en una página al menos. Había desechado tres hojas y había comenzado la carta por dos veces cuando, invadido de un creciente malestar, una nueva hoja y una tercera versión de la carta fueron a parar al suelo.

En las últimas horas se encontraba permanentemente disgustado, sin saber ni poder atribuir su desasosiego a una causa cierta; o peor, sin querer reconocer el origen de tal estado de ánimo y tratando en vano de encontrar aquel subterfugio (como el sospechoso al que sin pruebas concluyentes la justicia señala y castiga como responsable del delito para dar cumplimiento a sus estatutos y no dejar en suspenso el imperio de la ley) que le devolviera una falsa paz del espíritu. Como en tantas ocasiones, se trataba de convertir un defecto en un error y esperar que una ley más justa resolviera aquél. Con frecuencia, se decía, la melancolía derivada de tal trueque se apoderaba de su alma, desconcertada en un estado de culpa del que sólo podría liberarse por una culpa mayor. Para encontrar el camino de la predestinación no sabía de otra señal que la culpa. ¿Qué sentido tenía el sacrificio sin ella?

Su imaginación volvía una y otra vez sobre ese punto, el eje sobre el que giraba por entonces su pensamiento. La culpa tenía que ser creciente, se decía, y la caída incesante; no bien era detenida por un acto de fe, en cuanto su espíritu regenerado por la gracia recobraba confianza en sí mismo —y despejado el camino de la predestinación—, volvía a caer. Así, el peor enemigo del espíritu era la confianza, la hermanastra de la fe, tan sólo ávida de regalos y plácemes, nacida de un segundo e innecesario matrimonio.

Por todas partes veía la confirmación de su creencia —incluso en los fenómenos de la naturaleza que sólo en apariencia se sustraía al misterio de la gracia, que no podía ser tan sólo ni el escenario donde era dispensada ni la morada provisional del alma predestinada— y cuando se observaba a sí mismo sólo acertaba a vislumbrar el insondable abismo que tanto vértigo causara a su maestro y santo patrono. Él le había proporcionado, aparte de los Evangelios, las páginas más sublimes al tiempo que las más oscuras e inquietantes. Se había reconocido en sus confesiones, se había visto anticipado y retratado de antemano; superado, guiado y animado por la fortaleza del africano a cuya lectura volvía una y otra vez, sorprendido en cada ocasión por su incapacidad para retener en la memoria sus frases predilectas entre dos de las cuales siempre surgía algo que no recordaba haber leído antes, tal era la variedad y originalidad de su pensamiento. Nada en particular le reconfortaba tanto como su lucha diaria contra las inclinaciones y debilidades de su carácter y con frecuencia pensaba que con un hombre así ni siquiera en el número y magnitud de sus faltas podría ser comparado. Tamaña obsesión le había llevado a pensar que sólo después de la comisión de grandes faltas podría adquirir la más elevada bienaventuranza (para caer de nuevo, *perpetuum mobile* del alma) y, en sus primeros años de profesor, su puntillosidad hacia su propia conducta había obligado a Staupitz, su venerado maestro, a aconsejarle que cometiera de una vez «un verdadero y real pecado» y se olvidara para siempre de aquellas chiquilladas de confesonario. Pero ¿hasta qué punto aquella creencia en la eterna movilidad del alma, siempre en desgracia y depravación para desde ellas aspirar a la salvación, no sería una cómoda dispensa hacia las inclinaciones más burdas y punibles?

No lo podía saber; el conocimiento previo del pecado no era más que una barrera y una protección, no demasiado fuertes; pues una vez traspasado el límite de la conducta cristiana y transgredido el mandamiento, la conciencia no contaba con ningún instrumento —ni palabras ni sensaciones— con el que medir el horror de la falta. La falta, y la caída en ella, era siempre ignota y original y por fuerza la fe, el único remedio para absolverse de ella, tenía que ser perpetuamente renovada y reforzada.

Tal vez la última era la más grave que recordaba; sin embargo siempre se había dicho que la última era la más grave, en obediencia al principio del mal creciente. Pero la reacción al horror o a la repugnancia de sí mismo que había provocado aquella última, a la mañana siguiente y al despertar de un sueño embrutecedor, presentaba unos síntomas que hasta entonces nunca había padecido. Un dolor sin punzamiento que emanaba de todo su cuerpo, sin localización alguna, para alojarse en un pensamiento que en ningún instante era capaz de apartar de sí el recuerdo del acto o no tanto del acto cuanto de la participación en él de su odioso yo, visto desde fuera como un sucio personaje del que no podía apartarse; un cansancio de siglos, que ningún descanso aliviaría; la lacerante nostalgia de la inocencia perdida en aquel acto criminal y que a cada momento le empujaba a desear llorar como un chiquillo arrebatado de la compañía de su madre para cumplimiento de un castigo que las lágrimas no mitigarán; una irracional ansia de volver atrás, no sólo de desandar el camino del tiempo sino de recorrerlo en sentido inverso para desentenderse del duro deber del hombre, y un indefinible, úrico y fermentado aroma que el pecado había dejado sobre su piel y que de tanto en tanto hería su olfato para, habiéndose enseñoreado de aquel sentido independiente de la voluntad, hacerle saber que nada podría hacer ésta para librarle de la torpeza en que había caído. Y envolviéndolo todo, aquella nueva y temible inmersión en la *tentatio tristitiae* que por cuanto ninguna fuerza (porque las divinas no se empeñarían en ello, tal era la pérdida de la gracia) sería capaz de sacar a su alma de la abyección, le invitaba a continuar y recrearse en el camino de la desesperación puesto que el de Cristo se hallaba reservado para unos pocos elegidos.

Ciertamente la espera no le había producido ningún bien y sólo había servido para agravar su desazón y condimentarla con impaciencia, encerrado en una celda y apenas reconfortado por las breves conversaciones con los hermanos, siempre sumarias y tan sujetas al mismo tono beato que bien podía sospechar que se atenían a ciertas instrucciones superiores para su trato con el huésped. Tampoco él había hecho nada para prodigarlas, rodeado de unos hombres que si un día había podido tratarlos, considerarlos y hasta amarlos como a hermanos, hoy se hallaban separados de él por el abismo abierto ante su alma pecadora e inconfesa. Hasta había llegado a pensar que aquel hedor indefinible que tan nítidamente percibía de tanto en tanto sería suficiente para delatar su falta y denunciar la clase de hombre que albergaban los muros del monasterio. Tal vez por eso prefería rehuir toda compañía y aprovechar las horas en que la comunidad oraba en la iglesia para pasear por el claustro, la huerta y las márgenes de la acequia, por una estrecha senda de espigados y siempre susurrantes álamos (que murmuraban a su paso, sabían lo que escondía), en la vana búsqueda del consuelo, tratando de acallar su obsesión con la repetición de aquellas fórmulas —casi todas acerca de la humildad del cristiano y la misericordia del Dios Padre— que para circunstancias parecidas, pero no de tal índole, había aprendido en las aulas de Eisenach y Erfurt. Pero estaba íntimamente convencido de que servían de muy poco, «como si se ayudara de un pan que tenía a su alcance para sacar un clavo». Que quien podía perdonarle y salvarle no se dignaba mirarle; que no había que esperar el milagro, como quien espera una carta prometida, sino creer en él.

La idea de la carta le vino en seguida, en cuanto supo que no sería recibido de inmediato por el superior que hallándose de viaje le obligaba a una espera de toda una fecha, cuando menos. Se había producido sin

40

duda un malentendido, del que no era él el menor responsable al demorar tantos días la decisión de su propia partida, a costa de la paciencia del enviado del elector. Una carta en la que, si acertaba en la expresión y en el tono, podría exponer a un lector atento y sagaz la confesión que se resistía a realizar oralmente; o que le había de servir como preparativo a la que se vería obligado —pero no tentado ni bien dispuesto— a llevar a cabo si quería extraer su alma de aquel hervidero de recriminaciones, temor y hastío.

Durante aquella jornada de viaje desde Ansbach al monasterio, con un cuerpo dolorido por el sufrimiento e incapaz de sobreponerse a aquel mortal cansancio en que había degenerado un momento de ira y concupiscencia, con todos sus huesos castigados por los malévolos movimientos de la acémila, sólo acertaba a entrever un lejano socorro: acogerse a la comprensión de Staupitz y contárselo todo. Incluso pasó por su imaginación la consoladora idea de un desquite, o de una tardía satisfacción en el terreno del pecado a la constante y un tanto irritante desconsideración hacia sus faltas por parte de su maestro, durante sus años de estudios. Hasta podría adoptar un tono de reproche para recriminarle: «He aquí a dónde han llevado tus protestas.» Pero sin llegar a eso, podría humillarse ante él, como quien ha cumplido la misión que le ha sido encomendada, para solicitar su absolución de una falta que contenía todas las componentes del mal: desde la comisión del pecado de la carne hasta la más exacerbada e iracunda manifestación del orgullo; desde la falta de caridad hasta la negación del perdón, y, tal vez por encima de todo, el irreprimible deseo de hacer daño a un semejante (sin parar mientes en el propio) al que con tal de arrojarle en brazos de Satán no había vacilado en abrazarse a él para precipitarse juntos en aquel abismo.

Cuando supo que no era Staupitz quien le esperaba en el monasterio sufrió una doble decepción. Las razones de aquel inexplicable viaje pasaron a un segundo lugar en sus preocupaciones, obsesionado por encontrar la manera más pronta de comunicarse con él a fin de despachar cuanto antes el litigio que asolaba su alma y que sólo él —así lo había decidido en un momento de clarividencia que anulaba cualquier otra designación— acertaría a curar. Lo primero era su alma, sin duda, y sólo una vez curado de su desesperación podría encarar la resolución de otros problemas y abordar de nuevo las incógnitas del viaje.

Por eso, en cuanto supo que se abría un nuevo plazo de espera y se hubo acomodado en su celda, en un extremo del pabellón destinado a hospedería, con una ventana sobre la acequia y la doble fila de temblorosos álamos que la bordeaban, comprendió que su estancia se haría insoportable si no la aprovechaba para despachar la inquietud que atosigaba su ánimo. Pidió recado de escribir porque era avaro del suyo propio que reservaba para cuando le fuera imprescindible. El ecónomo, que le había recibido, comunicado la ausencia del superior y presentado toda clase de excusas, quedó sin duda sorprendido del talante amable del caballero Jorge. Le acompañaba su fama de hombre de carácter extremado, y hasta grosero, de reacciones rápidas e inapelables, y como quiera que nadie en la comunidad podía atribuirse una autoridad sobre él, el ecónomo había temido una salida de tono y hasta una súbita decisión de dar por cancelada la entrevista y abandonar el lugar ante una situación tan desairada. El ecónomo había recibido instrucciones cuidadosas, pensadas al detalle, y por todos los medios tenía que evitar aquella posible reacción y convencer al caballero de la necesidad de esperar la llegada del superior; su ausencia —le había confiado éste— era premeditada y sólo tenía que ver con el siguiente itinerario del caballero. Para sorpresa del ecónomo, el caballero no dio la menor muestra de impaciencia, aceptó la dilación con talante benevolente, rehusó recibir mayores explicaciones y se limitó a pedir recado de escribir y un cierto trato de favor para su criado y guía que durante toda la jornada no había hecho sino quejarse de las incomodidades y penurias de la misma.

Aquella tarde, tras un breve paseo extramuros de la casa y una reconfortante conversación mundana con un paisano que recogía leña en el lindero de un bosquecillo vecino, que le invitó a merendar un par de peras y le obsequió con otras dos para la cena, al entrar de nuevo en su celda y ver dispuestas sobre la humilde mesa de castaño las hojas de papel, el tintero, la pluma y el polvo de serrín, sintió por primera vez en varios días que se abría ante él una escondida senda hacia la paz del espíritu; aquellos humildes objetos eran las armas de la luz en su lucha contra las tinieblas y su ordenada y simple disposición respondía a todo un orden de batalla; y con ayuda de ellos una voluntad limpia —aún manchada por la falta— se doblegaría al deseo de desbrozar y recorrer aquella senda; sintió también que el orden de las costumbres domésticas —que giraba en torno al rayo de luz vespertina que caía bajo las patas del pupitre— se imponía a las tribulaciones de una ardua y penosa jornada, emprendida por obediencia y respeto a su amigo el príncipe sin que su emisario ni la carta que había aportado explicaran suficientemente el objeto de la misma, y que todo el suceso habría que entenderlo como un incidente más en la permanente lucha en la caída. Un incidente serio, muy grave —se repetía una y otra vez—, tan grave como para reclamar y agotar toda la fuerza del espíritu y reducirle al ser más mundano y peligroso.

Pero también podía entenderlo como una imagen microcósmica del régimen del universo, fiado a la alternancia y reversibilidad de los fenómenos, en el que solamente a la conciencia le había sido concedido el privilegio de buscar su sentido en el torbellino de apariencias, fuerzas antagónicas y cambios de humor. En un estado de ánimo más sereno —apaciguado por la contemplación del recado de escribir sobre la mesa: un tintero de barro, una pluma de ganso, una navaja, un montón de serrín y unos cuantos pliegos de papel de grano grueso que ya anunciaban el sedante rasgueo de la escritura (el sonido alado del pensamiento, con vuelo de mosca)—, a la vuelta del paseo a lo largo de la acequia, inició el primer ensayo de su carta en la confianza de depositar en ella su más sincera confesión:

Al reverendo y óptimo padre Johan Staupitz, vicario de los Ermitaños de San Agustín, su primogénito en el Señor.

Jesús. Salud. Unas cuantas cosas puedo comunicarle, bondadosísimo padre, porque nada favorable me ha ocurrido desde mi última carta. En primer lugar creo que mi nombre hiede para muchos pues soy acusado por personas que merecen respeto de intentar desviar al cristianismo del camino de la virtud. Lo único que digo es que ese camino no está marcado por las oraciones, los méritos y las buenas obras sino por la confianza en Cristo y la misericordia de Dios. Sé muy bien que yo mismo me aparto en ocasiones de la virtud...

Ahí se detuvo, a sabiendas de que tenía que entrar en materia, para buscar el modo y las palabras más adecuados. Releyó lo escrito y tachó la palabra «nombre» y en su lugar escribió «cuerpo» por parecerle un término más severo y más ajustado al caso y también para adelantar la entrada en la escabrosa narración que debía abordar. Entonces también con ambas manos abrió el jubón y husmeó su pecho en busca de aquel hedor que de tanto en tanto llegaba a sus narices, procedente del pecado adherido a su carne desde la mañana siguiente a su comisión y que —temía— ni siquiera la absolución podría desvanecer. Se estremeció pero no consiguió olfatearlo y al punto comprendió que no estaba en su voluntad el poder de convocarlo a la cita de los sentidos sino que, como una efusión del principio maligno que albergaba desde tal ocasión, participaba de su soberanía y al no aceptar sus órdenes elípticamente le hacía saber sin ninguna clase de ambages quién las daba a partir de entonces. En otras palabras, bien podía estar poseído por el mal, bien podía el mismo demonio (llevando a la práctica algunas de sus reflexiones más recientes sobre la materia y tomándole la palabra, por así decirlo) haber utilizado su órgano viril para introducirlo —en una suerte de escalofriante antibautismo— en la vagina de odiosa memoria, aquella depravada vejiga rellena de sus maléficos gérmenes que habían venido a ocupar todo el cuero de su cuerpo a través de tan taimado conducto.

Se estremeció de nuevo —esta vez con una sacudida más violenta y, cabe decir, más involuntaria por menos esperada— y sufrió un ataque de nervios que a duras penas pudo dominar levantándose de su asiento para procurarse un tantum de calma con la vista en la huerta y la solemne y sedentaria sombra de la alameda. La tarde declinaba, en media hora sería de noche, y la campiña más allá de las tapias y hasta las vecinas colinas ofrecía su aspecto más sereno y sedante cuando abandonada por el labriego y oscurecida su gama de domésticos colores pretendía reducirse a las híbridas sombras del primer día, antes de la emancipación de la acción, el mismo monótono, indolente e imperturbable primer día de un tiempo sin futuro, sin promesas y, por consiguiente, sin falta. La muerte, se dijo con la mirada puesta en la serrada silueta del bosque de abetos de la última colina, la muerte lo enfurece todo. Era necesaria porque sin ella la paz primigenia no sería reflexiva y carente de contraste no alcanzaría a comprender su beatitud. La muerte ha doblado esa beatitud, como el caudal necesario para restablecer una hacienda tras salvar una deuda; y además, tras turbar la calma original de la creación, obliga al ser humano a correr hacia ella, como el labrador que con un golpe de azada hace fluir las quietas aguas de la balsa hacia la acequia. Y sin embargo —se dijo también, con la mirada fija en la doble fila de chopos— la corriente no sólo fructifica la tierra sino que purifica y redime las aguas de la putrefacción que les aguarda en los pantanos. De nuevo una idea contradictoria, irritantemente insoluble, un paradigma más del mundo dividido en dos por la hendidura practicada por un mal que no ocupa una de sus mitades —no separables por la ilusoria línea de la virtud que trazan los teólogos rancios, la hez de Lovaina—, sino que se esconde en el secreto revés de todas las cosas. He ahí su demoníaca estratagema: divide y pretende crear dos mundos irreconciliables, uno luminoso y otro en tinieblas, para distraer una atención que no reparará en su verdadera actividad en el claroscuro de toda ambición, religiosa o secular, buena o mala.

De nuevo sintió que subía a su garganta un acceso de cólera —aquel inconfesable, casi epiléptico rapto que ocultaba a sus más próximos—, se retiró de la ventana para dominar el impulso, y para consumir aquella malhadada energía hizo una pelota con el pliego que había escrito sólo en parte y la arrojó al rincón. El rayo del crepúsculo se había retirado hasta el alero del pabellón, tras comprender que su solicitud no había sido reconocida y en busca de algún cliente más alto y agradecido, y para aprovechar la última luz del día y sólo hacer uso moderado del candil, comenzó la segunda versión de la carta a Staupitz, casi en los mismos términos que la anterior:

Al reverendo padre en Cristo, Johan, su superior en Cristo y preceptor.

Gracia y paz en Cristo Jesús, Nuestro Señor. Reverendo y bondadosísimo padre: Sólo unas pocas cosas me han sucedido, y ninguna favorable, desde mi última carta. Reconozco que mi cuerpo hiede para muchos y de ahí deduzco que Satanás no debe andar lejos, tratando de hacerme llegar una de sus embajadas. Me encontraba solo. Me venció, me arrojó fuera de mi cubículo y me forzó a buscar la compañía de los hombres. Creo que llegará el día en que veamos a este espíritu con un poder extraordinario y con una especie de divina majestad. En ningún momento ceja en sus propósitos y ahora mismo, dos días después de haber librado la última batalla, podría entrar en esta habitación para reanudarla. Por eso creo que ha llegado el tiempo de orar con todas las fuerzas contra Satanás, porque anda gestando alguna tragedia funesta para Alemania. Yo me

estoy temiendo que el Señor se lo permita
y aquí me tienes roncando y perezoso para
orar y resistir.

De nuevo se interrumpió. Había confiado que el ligero cambio del encabezamiento y la flexión hacia el suceso le permitirían lanzar la tirada con más soltura, pero una vez más su generosidad verbal le traicionó, le desvió del asunto y se detuvo en seco antes de iniciar el tercer párrafo. Comprendió que había incurrido en el mismo vicio que en la redacción anterior y que al encumbrarse en consideraciones generales —con referencias al poder del demonio y al estado de Alemania—, por miedo acaso a abordar y relatar el suceso con toda crudeza, eludía la confesión escrita y jamás alcanzaría su propósito si el lector más atento y escrupuloso era incapaz de deducir la materia escondida entre tanta broza. Desechó también el segundo pliego pero en lugar de hacer una pelota con él lo apartó a un lado de la mesa, con intención de consultarlo y aprovecharlo en parte para la tercera y —esperaba— definitiva redacción.

Tal vez se había equivocado en la elección del destinatario de su carta, obnubilado por la magnitud de su falta y la necesidad de llevar a cabo una confesión escrita; tal vez había emprendido una diligencia innecesaria y un tanto desquiciada, que por escrito nunca podría llevar a cabo con la imprescindible humildad que requería el caso, un tanto incompatible con su estilo fogoso, salpicado de adjetivos, y su afición a acogerse al menor pretexto para largar una diatriba.

Una vez más tuvo que recurrir a sus propios principios para recordar que el poder de la confesión no residía tanto en la comprensión y autoridad del auditor cuanto en la sinceridad y claridad del gesto y a ese tenor sólo tenía que encontrar el recipendario que, cualquiera que fuese su jerarquía, mejor contribuyese a la expresión de la falta y al reconocimiento de su contrición. Pero ¿no se amparaba en esa consideración para introducir fraudulentamente su desdén hacia la jerarquía religiosa y aprovecharse de él para eludir como confesor a todo hombre de autoridad y respeto y elegir uno de segura docilidad? A lo largo de los años —de los últimos cinco años, sobre todo— había distribuido su correspondencia con ciertos criterios que le permitían elegir sus corresponsales para tratar unos y otros asuntos, según su personalidad y su grado de compenetración con ellos. A Staupitz recurría con frecuencia (así como a Spalatino y a Ecolampadio) para exponer sus puntos de vista en materias de fe y doctrina (casi con la seguridad de que contaba con la conformidad y aprobación de estos amigos y que nunca de una expresión o una opinión suya, por exagerada que fuera, había de seguir una polémica epistolar); a Jonás le hacía partícipe de los sucesos locales, familiares y domésticos, y las complicaciones y vicisitudes más o menos públicas de su vida prefería confiarlas a su amigo Wenceslao Linck, de Nuremberg (y al que de no estar impedido por la prohibición del príncipe de dejarse ver en esa ciudad, habría ido a visitar y acogerse a su hospitalidad), tan recatado, tan suave de maneras y que, a sus ojos, tras su apariencia de inalterable y algo altanera serenidad escondía el mayor grado de comprensión hacia las desviaciones y excesos de sus allegados.

Tomó de nuevo la pluma, convencido de que hacia Linck no mantendría la menor reserva para verter su confesión, pero antes (como un resuelto gesto de réplica a las vacilaciones anteriores) decidió romper el pliego de la inacabada carta a Staupitz cuyos fragmentos prefirió arrojar por la ventana.

Acaso el golpe de la clavija y de la contra ocultó el sonido del picaporte; presumió que se trataría del hermano Benjamín a Sancta Clara, quien tras la refacción, camino de su celda, pasaba a visitarle y cambiar cuatro frases, y que habiendo entrevisto por la rendija de la puerta que el viajero se hallaba atareado, habría optado por retirarse y dejar la charla para otro momento. Pero se sentía tan reconfortado por el súbito valor con que había decidido despachar la confesión que salió al pasillo en busca del monje, con ánimo de atender su visita y escribir después la carta a la luz del candil que encendió en el flamero, pero no vio a nadie. Le extrañó tanta diligencia y resignado se sentó a la mesa para empezar la carta a Linck. Fue uno de esos minúsculos incidentes que turban un estado de ánimo. Al desaparecer el monje por el pasillo se llevó también la inspiración y con ella el impulso para redactar la carta de un tirón y que de nuevo se le antojó una tarea descomunal. Tan sólo, y con gran esfuerzo, había escrito el encabezamiento y la primera salutación cuando fue interrumpido.

—Ya veo que no estás en tu mejor momento —dijo una voz a sus espaldas, en tono quedo pero con un acento algo chillón y cantarín, como el que algunos adultos adoptan para dirigirse a personas y criaturas de menor entendimiento y con el que pretenden combinar (sin posible distinción) el afecto, el sarcasmo y la reprimenda.

Dejó la pluma sobre el tablero pero no se volvió, tan sólo levantó la mirada hacia el techo sin querer poner de manifiesto su gesto de resignación.

—Pero no te inquietes, no he venido a molestarte ni a distraerte de tus ocupaciones. Tenemos tiempo de sobra; tú para escribir la carta y yo para esperar a que la termines y te desahogues de una vez. Quiero creer que no te cohíbe mi presencia aquí. Por el contrario, he pensado que una vez que tomes carrerilla te será más fácil seguir el hilo del discurso, cuando surja la primera dificultad, si te sientes espoleado por mi espera. Te prometo no hacer el menor ruido. Sigue, por favor, no te preocupes por mí.

Entonces —con una inesperada e instantánea intensidad— percibió el desagradable tufo que emanaba de su pecho, que antes había olfateado en vano para dar con una descripción más vívida y atinada del suceso.

Se volvió con un breve estremecimiento. Su visitante se había sentado en el catre y todo su cuerpo —a excepción de las piernas— quedaba oculto por el tabique que lo separaba del alojamiento de la bacinilla. Había montado una pierna sobre otra y arrebujado el sayo, en una actitud de acomodado reposo (podía adivinar que había apoyado su espalda contra el muro y enlazado las manos sobre el vientre, y tal vez hablaba con los ojos cerrados o entornados para mejor disfrutar de aquella hora somnolienta y aquella discreta espera, como un cliente en la barbería), y sus pantorrillas asomaban cubiertas con unas medias de color verdoso, los pies calzados con zapatos de oscuro cuero fino, bastante gastados. Respiraba ostensiblemente, como quien se dispone a un breve sueño.

—Con tu permiso, entonces —dijo, volviendo su atención al papel pero decidido a dar prioridad al paso del hedor y a seguir su rastro en el aire o en su pecho antes de largar el primer párrafo. Así lo hizo pero no pudo abordar el siguiente, repentinamente aturdido por la insólita situación que había aceptado sin la menor sorpresa, absorto en la redacción mental de la carta. El momento había pasado y en un estado de tal tirantez era imposible recuperar la seguridad y el sosiego que por un momento había disfrutado, antes de la llegada del visitante. Con cierto enojo dejó caer la pluma sobre el pupitre, desde la altura suficiente para hacer bien patente su gesto de abandono.

—No, no te molestes. Insisto, no te molestes. Termina tranquilamente tu carta, deja zanjado este pequeño asunto y apacigua tu conciencia y luego hablaremos sin prisas. A menos que te apremie el apetito, me parece que tenemos tiempo de sobra. Termina, por favor. Te lo ruego. Yo puedo esperar y si lo prefieres lo hago fuera.

—Quédate ahí —dijo para darse ánimos.

Tomó de nuevo la pluma, un tanto empujado por las palabras del visitante, pero apenas pudo escribir cuatro sentencias. Dejó el aparato sobre el pupitre, barajó los pliegos en blanco con ademán de demorar la tarea para otro momento y giró sobre el taburete para encararse con el oculto visitante que sólo dejaba asomar sus piernas. Una cierta indefinible sospecha había venido a ocupar sus presentimientos, pero la vislumbraba tan entreverada con otras suposiciones que no quería dejarse guiar por ella.

—Está bien, vamos allá. La carta puede

esperar pues ya sé lo que tengo que escribir. Y cómo y a quién. No hablemos más de eso. Es cosa exclusivamente mía. Dime ahora en qué puedo serte de utilidad. Yo tampoco tengo demasiada prisa y en cuanto a la cena había decidido prescindir de ella, por una vez. Este viaje me está castigando el vientre y me vendrá bien estar a dieta por una noche. Por otra parte he tomado un poco de fruta y eso por hoy me basta.

El visitante recogió las piernas.

—Me alegra confirmar tu buena disposición a mantener una amigable conversación, una cosa cada día más rara en estos tiempos que corren. La gente se limita a murmurar e insultar, qué país —dijo la voz tras el tabique; no había alterado su acomodada postura pero sí el tono de voz, más acorde con sus deseos— temía una reacción más intempestiva de tu parte, sabiendo las cosas que por ahí se dicen acerca de tu carácter. Pero abusando tal vez de esa favorable disposición, te diré que no he venido aquí en busca de una ayuda, un consejo o una opinión. No te dejes llevar por tu bien merecida y ganada fama de hombre siempre dispuesto a cualquier servicio. En esta ocasión soy yo quien ha venido a prestar una pequeña ayuda, conociendo el difícil momento por el que estás pasando y las pruebas a las que te someten tus amigos. Una ayuda desinteresada, créeme.

—Y no solicitada.

—No solicitada, lo concedo, ni por ti ni por nadie; nadie me ha pedido que te asista en este viaje y lo hago tan sólo a cuenta propia. Pero no por eso has de desdeñar de antemano mi apoyo; no te dejes arrastrar por el amor propio que siempre tienes tan a flor de piel. Ya sé que estoy tocando un punto difícil de tu carácter, tan orgulloso como pugnaz al decir de algunos. Pero si has de confiar tus cuitas por escrito a un amigo, en busca de ese sosiego que tanto necesitas, no veo por qué no lo has de hacer de palabra conmigo cuando por añadidura la administración del remedio será mucho más rápida y efectiva como, si me permites experimentarlo, podré demostrar en seguida.

—Es un amigo lo que necesito, no un curandero. Un hombre de toda mi confianza y no un extraño ansioso de colocar sus pócimas.

—No empieces con reticencias; no sigas por ese camino, te lo ruego.

Poco a poco había ido modificando su tono inicial para adoptar otro más grave y persuasivo, más ronco también. El doctor lo advirtió de inmediato y sobreponiéndose a sus crecientes sospechas decidió templar su ánimo, no dejarse arrastrar por el enojo y conceder, a pesar de su descaro, un margen de crédito a su visitante, tanto espoleado por la curiosidad cuanto por la urgencia de confirmar aquéllas. Sin embargo no podía reprimir cierta inquietud, provocada por la dificultad en que se veía para la réplica. A su memoria acudió, sin motivo, el recuerdo de la lucha en el desván de la posada, atenazado de pies y manos.

—¿Qué te ha traído hasta aquí, en definitiva?

—Ya te lo he dicho, un servicio que me he impuesto yo mismo. Me subleva, me apena (y más que eso, me ofende) que un hombre de tu talla se vea sumido en momentos de angustia por un suceso de poca monta; que no tenga a nadie al que acudir, al alcance de su mano, para descargar su disgusto; que su cabeza esté obsesionada por un pecadillo cuando más la necesita para abordar unas circunstancias que, como bien sabes o puedes sospechar, van a exigir toda tu capacidad de reflexión y todo tu temple.

—No sé a qué circunstancias te refieres y no te concedo el derecho a calificar y hasta menospreciar mis faltas. Me recuerdas a los eclesiásticos; eso es, hablas como un maestrillo.

—Otra vez el orgullo, la ambición de ser grande hasta en las faltas. ¿No me concederás ese derecho del que disfruto tanto como tú? ¿Acaso no te pasas la vida señalando y calificando las faltas de los demás? ¿Y de verdad crees que porque la has cometido tú (aunque sea por primera vez) es mucho mayor que la del prójimo? No, hombre, no; no seas chiquillo. La diferencia entre tu orgullo y el mío es que a mí el mío no me da qué pensar; ni me arrepiento de él ni trato de ocultarlo y por consiguiente es más limpio y, si me apuras, hasta más humilde. Escribe de una vez esa carta, proporciónate un baño caliente con buen jabón de sosa, regálate con una cena acompañada de un par de jarras de cerveza (y no me vengas con que es menos fuerte que la de Wittenberg, sobre eso podemos charlar un rato y vale la pena discutir y comparar) y reemprende tus meditaciones de costumbre porque vas a necesitar de toda tu locuacidad en los días que se avecinan. Poco más o menos, es todo lo que tenía que decirte. Créeme, sólo he venido, Martín, para ayudarte a salir con bien del trance.

—Te confundes. Mi nombre es Jorge; soy un caballero de Sajonia, como acredita mi salvoconducto.

—Me da igual; si así lo quieres puedes seguir representando la comedia que te enseñaron en Wartburg. Me da lo mismo. Ten en cuenta que yo presencié tu transformación en ese caballero. Yo también estaba en Waltershausen, encañonándote con una pistola. Pero has de saber que no me dirijo al héroe sino al cómico cuyo verdadero nombre...

—¿Y cuál es tu verdadero nombre? ¿Samael?

—Cuento con infinidad de ellos, como bien sabes. Buena prueba de que quienes me llaman me conocen muy mal. Samael, Gamael,

Astaroth, por la rama judía; Belial o Satán, por la cristiana. Y luego están los chistes: «el que dice y no hace», «el padre de las moscas», «el cagalotodo». Estoy más que acostumbrado a ello y te diré que muy poco me importaría ese grosero y desagradable nomenclátor (y la falta de respeto que hacia mí demuestra) si no pusiera en evidencia mi incapacidad para hacerme con un buen nombre, dicho en el sentido más lato. En otras palabras, no consigo hacerme comprender, Martín, y a veces pienso que estáis todos locos.

—Tú mismo lo has dicho y sólo tú eres responsable de tu mala reputación, más que acreditada. A nadie puedes culpar de ello y si tan extendido está tu mal nombre no será ciertamente en agradecimiento a tus favores.

—Tienes razón, no lo discuto. No creas que no abundo en la sospecha de que, por causa exclusivamente mía, algo falla en mi gobierno por más que me refugie en los pactos que en su día me vi obligado a suscribir. Me consuelo empero con la idea, muy propia de todo gobernante autoritario, de que un día sabré poner remedio a nuestras deficiencias, que confieso que son numerosas; un día en el que habiendo resuelto las cuestiones más urgentes podré dedicarme a mejorar algunos detalles de la gobernación; el pregón de mi buen nombre, por ejemplo. Pero me falta tiempo, Martín, por doquier surge un asunto que reclama mi presencia y todavía no ha llegado el momento en que me decida a delegar alguna de mis funciones en mis subalternos. No me gusta presumir de mis numerosas ocupaciones ni de las horas que tengo que robar al sueño para mantener la casa en orden, pero quiero que no pases por alto el plazo que te dedico para que por esa medida consideres el mucho aprecio en que te tengo. Una entrevista que he buscado con ahínco (y esmerándome en ocultarte mis esfuerzos, para no turbar tu paz aunque tú, un atormentado por naturaleza, pienses lo contrario) y sé que no me defraudará, cualquiera que sea el resultado.

—Que puedo cortar en cualquier momento, con una sola palabra o un gesto de mi mano derecha, para dejarte con un palmo de narices.

—Sí y no. Puedes cortarla, en efecto, con un sucinto movimiento de tu mano que me obligaría a posponerla, pero te aconsejo que no confíes demasiado en el poder de los símbolos; déjame decirte que no quiero defraudarte ni deseo que pierdas la confianza en su poder que me facilita mucho las cosas por cuanto afecta, en sentido negativo, a la seguridad en ti mismo. Cierto que con un gesto de tu mano me largaré de aquí (aunque nunca sabrás si por el poder del gesto o por mi hipócrita acatamiento al conjuro), pero con ello sólo ganarás una falsa confianza en la fortaleza de tu alma y una creciente sospecha de que sólo con la precipitada aportación de otras fuerzas puedes ocultar su debilidad. Tantas veces como me arrojes de tu lado podré volver para abrumarte con mi presencia. Pero no quiero comportarme como un indio y con mucho prefiero despachar nuestros asuntos en una sola sesión. A ti también te conviene. Reconoce que te conviene y el momento resulta el más apropiado, a menos que prefieras devanarte los sesos para escribir una confesión que en tu fuero interno preferirías silenciar. Reconoce que te conviene: una sola sesión y finiquitados para siempre tus asuntos con el demonio.

El doctor se sintió investido de un cierto aplomo para llevar adelante una negociación que en cualquier momento podría romper sin merma para sus intereses ni menoscabo de su posición.

—Me convendría, ciertamente —repuso—, si supieras atenerte a tus compromisos y negociaras con un mínimo de honradez; pero lo tuyo es la mendacidad, la falta de respeto a la palabra dada y el incumplimiento de cualquier contrato si eso te reporta el menor beneficio. No eres persona de fiar (si es que eres persona) y sólo los incautos se avienen a tener tratos contigo, engañados por tus falsas promesas.

—Ya estamos con ésas. Siempre la misma historia. Reconozco y repito que lo que falla en mis asuntos mundanos es mi servicio de propaganda. Te confieso que cuando suscribí los pactos nunca pensé que mi obediencia al secreto fuera tan utilizada en contra mía. Ahí fui yo quien pecó de ingenuo. Pero reconocerás, sin embargo, que en la mayoría de las leyendas que corren sobre mis tratos con los hombres, el engañado soy yo. El final es siempre parecido: quien pacta conmigo termina por volverme la espalda, se asocia con el adversario (lo mismo que el Papa, igual que Venecia o el rey Francisco) y no vacila en romper el contrato para, como tú dices, dejarme con un palmo de narices. Pero yo no. Yo cumplo. Soy persona, y persona muy seria, que acostumbra a respetar escrupulosamente sus pactos, cualesquiera que sean los beneficios que me reporten. Ante todo, la seriedad comercial, la honradez alemana.

—Tú mismo lo confiesas, tan sólo me limito a repetir tus palabras. Si todo el que pacta contigo a la postre se retracta será sin duda porque comprende el carácter torticero del convenio. Será mejor que no sigamos hablando. —El doctor se fue creciendo—: ¿Toda esta famosa sesión tan sólo para escuchar el recitado de las virtudes que te adornan? Para eso me voy al mercado, Satán, al mercado de los miércoles en la plaza de Wittenberg.

—Escucha —su voz había sufrido un nuevo cambio, para adoptar un tono aún más lento y persuasivo—, antes me refería tan sólo a las leyendas e historias pueblerinas.

Son las que corren por ahí y en las que siempre salgo mal parado, que brotan de bocas cobardes y supersticiosas, de almas mezquinas que nunca se atreven a llevar el negocio hasta el final. Pero quienes cumplen y quedan satisfechos (y son los más) acostumbran a callar porque la primera cláusula del contrato impone el silencio y la reserva por ambas partes, imprescindibles para la buena marcha del negocio. De ese silencio (preferible, a pesar de alguna de sus consecuencias, a la descarada exhibición de los beneficios que procura el contrato y a la poca escrupulosa propaganda de las virtudes de la casa) se aprovechan mis adversarios para difamarme, a sabiendas de que en ningún caso renunciaré a él para entrar en polémicas y triviales disputaciones. Lo mío no son las palabras sino los hechos y a ellos me remito. Me pintan como al enemigo del género humano cuando soy justamente lo contrario. Yo soy un filántropo, Martín, dispuesto a poner todo su poder al servicio de esta torpe y lenta humanidad que apenas se atreve a hacer otra cosa que lo que le han enseñado a hacer y ha hecho siempre. Pero no quiero tampoco hacer una excepción contigo para cantar las virtudes de mi persona (sí, una persona, ahora mismo de carne y hueso) y de mi organización y de las muchas ventajas y beneficios que ofrezco en mis negocios; y además, ¡qué demonio!, no he venido a hacer tratos contigo. La gente cree que sólo comparezco para hacer tratos y negocios poco limpios y olvida que hasta el banquero augsburgués más avaro y celoso de su tiempo gusta de consumir sus horas libres con sus amigos, charlando de cualquier cosa menos de su trabajo, de sus negocios y de su dinero.

—¿Amigos? ¿Qué amigos? ¿Qué amigos puedes tener tú si por naturaleza eres enemigo de todo aquel que posee un alma? Y si se trata de distraer tus ocios deberás buscar la compañía de la gente de tu calaña que tanto abunda en estos días.

—No te pongas así, reserva tu enojo para cuando sea necesario y no trates de llevar la conversación a un terreno tan resbaladizo como estéril. Insisto, no he venido a discutir ni a pactar.

—¿A qué has venido, entonces?

—A saludarte. A gozar de tu compañía y de tu palabra y a hacerte saber que aquí tienes un amigo para cuanto precises de él.

—¿Amigo mío? ¿Te das cuenta de que me estás dirigiendo la más ignominiosa injuria? ¿Así que amigo tuyo, amigo del mal y del daño? ¿Amigo de la condenación?

Hizo una profunda inspiración y se arrimó a la ventana. No había luna; contra el cielo, la alameda recordaba la indeleble mancha de un líquido que hubiera aplastado los brillos rebeldes de una seda oscura.

—Ya sé quién te envía, por qué estás aquí. Hace diez años que lo vengo diciendo. Sin duda la mejor manera de probarlo y ponerme en evidencia. Lutero y Satán cogidos del brazo. ¿Qué más quiere Roma?

Incorporado, no supo qué hacer; no se atrevió a enfrentarse con su visitante y permaneció en pie, con las manos a la espalda y la respiración entrecortada, en espera de que su visita se esfumara o saliera con el mismo imperceptible paso con que había entrado. Pero de reojo observó que los pies de su visitante no se habían movido.

—¡Por Cristo crucificado, largo de aquí! Déjame en paz, lárgate de aquí, carroña.

Luego se contuvo, persuadido de que lo había conjurado, y volvió a tomar asiento pero sin atreverse a volver la cabeza que abatió sobre sus brazos en el pupitre.

El visitante imprimió una nueva modulación a su voz (tenía ciertas aptitudes de ventrílocuo) para adoptar un tono de consolación, un tanto ridículo y teatral, que no tenía suficientemente ensayado.

—Vamos, vamos, no te exaltes. Lo último que deseo es tu enojo, y si para preservar la paz de tu espíritu es necesario que me vaya, me iré. No lo dudes. Te esperan horas muy difíciles, Martín, y de aquí a poco vas a necesitar todo tu temple y todo tu buen juicio para tomar una decisión que puede ser de mucha trascendencia para ti y para los tuyos, para tus amigos y seguidores y para buen número de tus compatriotas. Está en juego el destino de Alemania que todos codician; unos para prolongar a su costa ese malhadado Imperio, aunque sea por unos meses, y otros para agrandar sus reinos y convertirse en los amos de Europa. Pero nadie piensa en este país, el más fuerte de todos, ni siquiera los propios alemanes. Aunque no lo hayas querido te has convertido en una fuerza política y ya no es posible volver atrás. Tú mismo lo has dicho por escrito. Sabes muy bien en qué terreno difícil te estás moviendo y es posible, si el emperador (contra sus personales deseos, me parece a mí) no suaviza las propuestas de su hermano en Spira, que pronto se produzca el cisma que tanto has provocado como tratado de evitar, no te engañes. La hora de la suerte está a punto de sonar y luego ya no habrá poder en el mundo para rectificar. Hasta los dioses tienen que obedecer al destino, decían los antiguos griegos. Repara en quien te lo dice y que dista mucho de ser tan poderoso como algunos piensan. En estas circunstancias, insisto, me parece inoportuno y ridículo que atormentes tu cabeza con un pecadillo sin importancia en tanto tienes ante ti la determinación más grave de tu tiempo. Tan sólo pretendía eso; tranquilizar tu ánimo y restaurar tu serenidad, sin esperar a la respuesta de tu buen amigo Linck.

Tan aparentemente limpia actitud le pareció al doctor cuando menos sospechosa; una prueba más de la renombrada astucia del demonio, de su capacidad para el disfraz y la suplantación y de su arte —contra lo que él afirmaba— para superar su mal nombre y ganarse amigos. Pero acaso por eso mismo —y por el fiasco sufrido— decidió mostrarse paciente y ver de sacar algún provecho, sobre todo de alguna noticia de lo que se estaba tramando en Augsburgo, casi a sus espaldas. Consideró también que estando su alma inmersa en el pecado difícilmente podía engendrar los recursos necesarios para conjurar la presencia del visitante y nada —en la otra columna de sus cuentas, donde también debía asentar las dudas sobre su ambigua naturaleza—le reconfortaba tanto como el menosprecio de su falta, una idea en todo opuesta a la que había guiado la redacción de su frustrada carta a Staupitz. Tal vez se trataba de una anticipación, de un mensaje que no podía desoír por la personalidad adversaria del mensajero.

—Dejemos de lado la amistad, que no juega ningún papel entre nosotros. No quiero oír hablar de eso y si tanto deseas proseguir esta conversación (aunque no por mucho tiempo) no vuelvas a mencionarla ni suponerla. Atengámonos a nuestras respectivas obediencias (por lo menos en lo que a mí respecta) y no trates ni por un instante de confundirme. La situación de nuestro país es delicada, es muy cierto, pero nadie en su sano juicio buscará su solución con ayuda de los poderes infernales que, desde Roma, hacen todo lo posible para agravarla. Tengo mis razones para creer que el emperador está decidido a revocar las sanciones del edicto y ya no confía en los consejos de esa piara de teólogos (Faber, Aleandro, Cocleo, Eck y todos los cerdos de Lovaina) para resolver el conflicto; se me ha dicho que es su intención convocar un concilio, a poder ser en una ciudad alemana o fronteriza, del que saldrá la paz religiosa y la paridad de las dos religiones, el primer paso para llevar a la ruina a la Babel romana. Tú debes de estar bien informado, pues no en balde el Papa te susurra todas las noches sus intenciones para el día siguiente. Así que no cuentes con mi conformidad ni con mi reserva. Somos enemigos, bien lo sabes, y como tales poco podemos hablar. Pero sobre todo, nada de pactos, y en eso no hago más que recoger tus protestas y atender a tus deseos, si no te he entendido mal.

—Sin querer ofenderte (y no te aproveches del axioma) te diré que una conversación, si se desarrolla con las palabras justas, es ya de por sí un pacto. Pero ¿por qué somos enemigos? Acepto que seamos adversarios, pero ¿por qué enemigos? ¿Acaso tenemos que luchar o medir nuestras fuerzas con algo más que con palabras? ¿De verdad crees que dondequiera y cuandoquiera que nos encontremos debemos pasar a la acción? ¿Que todo encuentro debe estar marcado por el intento de uno de abatir y vencer al otro? Si es así, qué incómodo lo pintas.

—Es así y no soy yo quien así lo pinta. Fuiste tú quien rompió la paz y la concordia, la bienaventuranza en la contemplación de la obra divina, al abrir el abismo de la falta. Tú quien arrastró al hombre a la lucha diaria con su naturaleza pervertida. Fuiste tú quien sumergió al alma en la noche oscura y quien le obliga a renovar su fe cada día y cada hora para no verse ahogada en la miseria de tus complacencias. ¿O crees que es cómodo ser cristiano? ¿Es que no sabes que mil veces al día te maldigo por obligarme a sostener el combate del que toda alma podría haberse visto dispensada a no ser por tu nefasta intervención? ¿Te crees que soy de los que la celebran (como Jerónimo, Hilario o Tomás) porque justifica la venida de Cristo? ¿Y lo que él padeció y sufrió, qué? ¿Crees que para mí no cuenta? Pues has de saber que es lo único que cuenta. ¿Te atreves a menospreciar su sacrificio? ¿Todavía te atreves a suponer que podemos ser tan sólo adversarios, pero no enemigos, en tanto en cada momento me obligas a tomar las armas de la fe para combatir el mal con que estropeaste mi naturaleza? ¿Y crees que existe en el campo de batalla un combate más cruento y agotador que ése? Y aún tienes la desvergüenza (porque ante todo eres eso, desvergonzado y sucio como un salchichero) de querer hablar conmigo de persona a persona cuando todavía no me he curado de las últimas heridas que me has infligido.

Se tomó un tiempo para responder y antes de hacerlo exhaló un largo suspiro de cansancio, el suspiro del maestro que ha de repetir la lección porque no se le ha prestado la atención debida.

—Sí, es cierto, hubo un combate pero ya concluyó. Un combate dudoso, como dirá un poeta inglés que no tendrás ocasión de leer porque me parece que te has adelantado algo a la historia, cosa que sin duda te engrandece. Un combate de cuyo resultado final te han informado mal, porque así quedó tácitamente establecido en las cláusulas del armisticio. Tal fue mi gran equivocación.

—¿Qué armisticio, qué equivocación? ¿Qué armisticio puede haber entre los opuestos? ¿Dónde queda tu poco de razón, Satán?

—Escucha, no te acalores. Hubo un combate, lo reconozco, pero entre él y yo ya terminó. Hicimos las paces. No tenía sentido continuarlo, en cuanto cada cual reconociera la soberanía del otro sobre el terreno por cuyo dominio había empuñado las armas. Es la historia de siempre, lo mismo que está ocurriendo ahora. Todo este desbarajuste europeo por el dominio de Italia por la que dentro de cien años nadie dará un florín, un carro de basura que un gobernante avisado cedería con gusto al turco por una carga de seda. Se decidió entonces (lo quieras o no, se decidió así y así está establecido, aunque el convenio esté por encima de tu entendimiento cristiano) que el hombre podía proseguir a sus expensas ese combate si ése era su antojo, para dirimir en la tierra lo que nosotros ya habíamos resuelto en las alturas. Allá él, quiero decir, el hombre. Pero también se convino, y me vi obligado a aceptarlo, que jamás se darían a conocer los términos del armisticio, ni siquiera el hecho de que hubiéramos alcanzado el acuerdo, a fin de dar libre curso a la manera irascible y combativa que el hombre adopta para tener ideas. Comprendo que cometí una ligereza (a la cual me atengo). Por un lado pesaba la negativa de todo gobernante que se tiene por legítimo y todopoderoso a tratar con rebeldes, por miedo a reconocer la paridad a quienes ha considerado siempre al margen de la ley, unos bandidos. Por otro, la aspiración a la legalidad de quienes no han tenido otra opción que empuñar las armas para oponerse a la tiranía.

El doctor sufrió un acceso de cólera, un espasmo de la respiración que le obligó a hinchar el pecho, abrir los brazos y ejecutar unas profundas inhalaciones tras las cuales pudo ordenar sus palabras.

—¡Blasfemo! ¿Cómo te atreves a hablar así? ¿Cómo puedes comparar tu sacrílega rebelión contra el Ser Supremo con la lucha contra el tirano? Te aprovechas de mi debilidad para utilizar ese impúdico lenguaje ¿y aún pretendes que prolonguemos esta conversación?

—¿Blasfemo? ¿Blasfemo yo? Naturalmente que soy blasfemo. ¿O qué te figurabas? ¿Que de mi boca, para endulzar tus oídos, sólo saldría el azucarado lenguaje que te enseñaron en el convento? Vamos, hombre; no me hagas reír, Martín. Blasfemo y muchas cosas peores: blasfemo, perjuro, réprobo, traidor, rebelde y enemigo de toda santidad.

—Me complace oírlo: el príncipe del orgullo hablando como un fabricante de salchichas; toda una lección acerca del orden que rige tus dominios.

—También alardeas tú de una lengua de minero, famosa por eso mismo. Procedemos del mismo tronco y nuestras maneras son parecidas. Los orígenes son los orígenes y los míos, como los tuyos, son humildes.

El doctor se volvió, intrigado por aquella inesperada noticia que presentaba un aspecto reconfortante. El Príncipe de las Tinieblas reconocía sus orígenes aldeanos y, por consiguiente, se confesaba un arribista. Pensó que por una vez era sincero, nada le obligaba a tal confidencia; y de esa suerte tenía garantizada la antipatía que despierta todo aquel que ha ascendido en la escala social, sobre todo entre quienes también se han encumbrado, han hecho de la rivalidad un ejercicio permanente y han generado una envidia que no cesa cuando alcanzan su meta.

El doctor se levantó, dio cuatro pasos y volvió a su asiento. Adelantó un palmo el taburete y se sentó con las manos cruzadas sobre el vientre, en la actitud del maestro dispuesto a escuchar la disertación de un discípulo inoportuno y mal preparado. Su visitante había de nuevo estirado las piernas y recogido algo el sayo y por su postura, un tanto obscena, infirió que aquellas robustas pantorrillas cubiertas con fina tela verdosa sin duda pertenecían a un cuerpo de patán, apenas refinado por su largo trato con gentes poderosas y cultivadas. Infirió también que su visitante había recostado su espalda contra la pared, en una posición de descanso que no podía ser muy duradera, y de la altura de su cabeza, por detrás del tabicón, surgió la azulada voluta de la duda, precursora del tabaco.

—En cuanto a mi orgullo —su voz era pausada, sin pizca de tonillo ni un exceso de maneras persuasivas, pero silbante e irritantemente aplomada— también te han informado mal. Es lo último que me movió a la lucha y, tras el combate, lo poco que me quedaba de él lo dejé de lado a la hora de firmar los pactos. Como te decía, tuve que acceder a que no se hicieran públicos pues mi enemigo así lo exigía para conservar su prestigio entre sus súbditos que (siempre según él) nunca habrían tolerado semejante claudicación y quién sabe si al conocerla no habrían pasado a engrosar mis filas. Pero yo no quiero entre mis huestes a semejantes despechados, estoy más que satisfecho con mis propios fieles.

—¿A qué viene entonces ese continuo esfuerzo de tu parte en cobrar las almas que han sufrido un descarrío? —preguntó el doctor, sin perder su aplomo, con las manos cruzadas—. Hay algo en tus cuentas que no sale bien. Si no levas los descarriados y despechados que han vuelto la espalda a su Dios, no sé con quiénes vas a nutrir tus huestes. Sin duda tienes gente e imagino que es la compañía más desagradable que se puede encontrar en este mundo. Por eso andas siempre solo, sin encontrar gratitud en ningún sitio.

—También te equivocas en eso. En principio, no busco adeptos; me conformo con lo que tengo, que no es poco, y si corren algunas leyendas acerca de mis peregrinaciones en busca de amigos y aliados es por culpa del silencio que me fue impuesto (y que acepté no sin resistirme a ello pero a la postre convencido de que podría desarrollar mi trabajo en la oscuridad, luchando contra la maledicencia, tal es mi fuerza) si quería dar por terminado aquel combate dudoso y absurdo. Y advierte, por último, que entre mis partidarios no debes incluir a los endemoniados, esos pequeños pecadores de aldea, inventados, alimentados y perseguidos por vuestros eclesiásticos tan sólo para ensombrecer y vilipendiar mi figura, pero con los que nunca he tenido nada que ver.

—Ajá —dijo el doctor, que sólo le escuchaba en parte, mientras ocupaba su pensamiento en el recuento de aquellas simples y eficaces máximas del *enchiridion* para luchar contra·el enemigo—, ahora te presentas como el abogado de la virtud y la persona de honor que tiene a gala atenerse a sus compromisos. Conocida es tu habilidad para adoptar cualquier disfraz, obstinado y repulsivo demonio, pero nada es más fácil que adivinar tu naturaleza y descubrir tus propósitos. En fin, abreviemos que tengo otros negocios de que ocuparme y algo más importante que distraer tus amargos ocios. Dime por curiosidad ¿para qué quieres mi alma?, ¿qué me ofreces a cambio de ella?

—¿Quién te ha dicho que quiero tu alma? ¿Para qué rayos voy a querer tu alma? ¿Para tener entre mi gente un fraile revoltoso, angustiado por su salvación y nunca firme en su lealtad? ¿Para, al cabo de unas semanas, ver mi reino tan dividido como el Imperio, agitado por nuevas confesiones y convertido en un semillero de discordia? ¡Anda ya!

El doctor no pudo reprimir un brusco movimiento ante el agravio. No era la primera vez que escuchaba una cosa parecida pero hizo acopio de toda su flema para no acalorarse en la respuesta.

—A lo que veo, no me has entendido. Para nada quiero tu alma, sábelo de una vez para siempre, que pertenece a quien se la has entregado acompañándola de tres votos. Como mucho, si me lo permites, te diré que sólo deseo que esa alma de la que estás tan orgulloso (a pesar de las protestas de humildad) sea todo lo fuerte que ha de ser para arrostrar la prueba que se avecina. No quiero nada para mí y, aunque no lo creas, en esta ocasión mis servicios son desinteresados. Me interesa, como a Carlos, una Alemania fuerte que de una vez ocupe el lugar que le corresponde. No; no he venido a comprarte sino a reconfortarte, cosa que, a lo que veo, en parte ya he conseguido.

—Ah, maldito y desvergonzado demonio, ni siquiera has aprendido a perder; la única ciencia que en verdad podías haber aprovechado en tu larga historia de desastres. Pero tu orgullo te impide reconocerlo así y en todo trance has de persuadirte de que has salido victorioso, incluso del más ínfimo combate como el que quieres entablar conmigo. Pero conmigo no te saldrás con la tuya; ya sabes que soy obstinado y aceptaré cualquier sacrificio con tal de hacerte perder; si es necesario me sentiré más angustiado tras esta conversación a fin de ni siquiera satisfacer tu hipócrita propósito. No trates de atraerme convirtiéndome en el depositario del destino de mi pueblo, no voy a caer en esa trampa. Sé muy bien qué es lo que le conviene y quiénes son los hombres que deben tomar sobre sí el deber de procurárselo. Y sobre todo sé muy bien cuál es el camino para alcanzar ese destino que no es el de la desdichada ambición, lo único que sabes inocular en el corazón de los hombres. Alemania será fuerte porque en su seno se desarrollará y crecerá el reino de Cristo, y la paz y la justicia serán firmes y duraderas. Pero nunca porque te pida prestada tu fuerza que sólo conduce a la depravación y a la esclavitud.

—Que te crees tú eso. Escucha, deseo abrirte los ojos sobre un asunto que sin duda te explicaron mal, tanto en la escuela como en el noviciado. Se trata de una confidencia que hago muy rara vez porque, repito, me atengo al respeto a los pactos y en aquella ocasión me comprometí a mantener el secreto, por lo menos en tanto durase la antigüedad que, como sabes, está a punto de finalizar uno de estos días si es que no ha terminado ya. Todo eso es agua pasada y en los tiempos que se avecinan, dominados cada día más por el afán de ahorro y los créditos, no pasará de ser una anécdota, pero conviene que la conozcas. Te habrán explicado que mi desobediencia y mi rebelión se debieron a una explosión de orgullo y ambición por mi parte, deseoso de ocupar el lugar de mi señor de entonces. Según eso, la envidia me dominaba, no podía aceptar el papel de segundón. No hay nada de eso, para nada deseaba ni deseo ese trono y te diré que desde que en mis dominios no tengo a nadie por encima nada añoro tanto como el segundo puesto que para el afán de poder colma tanto como el mando supremo, permite derivar hacia otro algunas enojosas responsabilidades y mantiene abierta, aunque sea de manera engañosa, la puerta que se abre al ascenso. No, para nada quería ese trono que aburre y envejece. No hay nada, te lo aseguro, como ser lugarteniente. Pero si fui desobediente primero y rebelde después fue porque no podía soportar que aquel estado perfecto y celestial (y su correlato humano) fuera considerado por todos sus beneficiarios como definitivo y reducidas todas nuestras funciones a la mera y venturosa contemplación de la obra divina. Supervivencia y contemplación, es todo lo que se exigía de nosotros. Más o menos lo mismo que ahora te pide Roma y que tanto te mortifica.

El doctor se agitó en su asiento; levantó la mano para abrir una enérgica réplica pero un golpe de su propio tufo le detuvo y se contentó con bufar.

—No, no me repliques, aguarda y no trates de confundir de manera fácil porque conozco muy bien el desprecio que albergas hacia místicos y contemplativos. Como te decía, yo no sabía tolerarlo porque no podía concebir que hubiéramos sido creados, con tal cúmulo de facultades, sólo para la contemplación y las alabanzas. Para eso se podía haber detenido la creación en el estado irreflexivo de los árboles y los gusanos. Comprende que mi censura no iba dirigida a la creación (que siempre me ha parecido admirable), sino a la regla que impedía hacer uso de ella y de sus potencias y prohibía la búsqueda de otro estado diferente al inicial que nos fue dado. Que posiblemente sería peor que él, ni lo afirmo ni lo niego, pero al menos buscado y en buena parte construido con nuestras propias facultades, guiadas por el criterio que nos fue concedido. Él lo entendió como una censura a su obra y una falta de gratitud, un menosprecio al regalo que nos había entregado, y resolvió expulsarme. O abandonaba tales pretensiones y me retractaba de mis ideas, o me expulsaba y condenaba a vivir en la maldición. Me negué a aceptarlo. Antes de cerrarme en mi postura traté de hacerle comprender que nada sería tan propio como que él mismo encabezara la empresa que yo le proponía, pero se mostró inflexible. También él se negó a entrar en cualquier negociación. Está deslumbrado por sus hechos; no sabe ver más que su obra y observa con la mayor desconfianza cualquier cosa que se le asemeje (como la navegación, que él no había previsto) o cualquier iniciativa que trate de enmendarla o mejorarla. Él es el verdadero orgulloso y no hubo más remedio que combatir; mi gente era poca pero resuelta, mucho más eficaz que la corte de iluminados badulaques que le rodea. No venció ni yo tampoco y al fin, como no podía ser de otra manera, llegaron los pactos. En virtud de ellos (y de los que jamás se debería hablar) la parte inmaterial y trascendente de la creación, que nunca me atrajo mucho, quedaba de su exclusivo dominio y soberanía, así como toda la acción del hombre encaminada y dirigida hacia ella: la teología, la metafísica, la poesía, todas esas pequeñas cosas. A mí me era reservado el progreso del mundo material y de la economía, así como el propósito de los hombres de modificar a su antojo su vivienda, según sus conveniencias y en la medida de sus energías siempre crecientes. Por eso, alguno que ha llegado a percibir algo de aquel secreto me ha llamado el Señor de las Transformaciones, un título que no me disgusta. También podía ser el Príncipe de la Acción, de toda acción menos la de gracias, se entiende.

Hizo una pausa, rodeó sus rodillas con las manos enlazadas.

—Ambos dominios se hallan separados por una ancha zona neutral donde habitan los indiferentes, algunos funcionarios, muchas mujeres y todos los sibaritas y en la que, sospecho, encuentran refugio los desertores de uno y otro bando. Así pues, debes saber que detrás de cada maestro de obras, de cada herrero y cada curtidor me encuentro yo, incansable en mi cometido de buscar para todos un mayor confort. He seguido muy de cerca tus pasos, y más detenidamente desde que clavaste las noventa y cinco tesis en la puerta de tu iglesia, y no he dudado un instante en reconocer en ti al hombre que puede sacar a esta tierra de la anómala y miserable situación en que se halla. No quiero decir con eso que seas uno de los míos; para nada quiero ofenderte. Repito, no me interesa tu alma pero sí el espíritu de rebeldía que la anima y tu fuerza de voluntad para perseverar en la lucha que has emprendido. Tú también eres un desobediente, uno que no puede conformarse con el estado de cosas que ha recibido y *mutatis mutandis* te has levantado contra Roma de la misma manera que yo me levanté contra su Dios. No soy el primero que lo dice ni es sin duda la primera vez que lo oyes.

Esta vez el doctor no pudo reprimir el acceso de furor pero no se dejó arrastrar a la exaltación.

—Ese cerdo de Roma y su piara de Lovaina. Esos teologastros. Esas serpientes cornudas apartadas por ti de la senda de Cristo.

—Ahora has empezado a comprender qué extraño es el retrato tuyo que hace la popularidad; cómo lo falsea todo, cómo interpreta cada palabra de la manera más burda. Nadie sabe tanto como yo de eso y te quiero advertir que en lo sucesivo cada vez lo sufrirás más.

—Lo único que pretendo, como muy bien sabes si es que me conoces, es abrir de nuevo la senda hacia Cristo que Roma ha ocultado y desviado desde los tiempos de Gregorio. Ésa es mi falta, en eso se cifra todo mi empeño.

—Que puede traer muy distintas consecuencias, algunas casi imprevisibles para mí.

—Tan sólo aumentar el rebaño de Cristo y dirigirlo hacia su único pastor.

—Y al tiempo también aumentar las hordas de sus enemigos.

—Cuyas armas no prevalecerán, tenlo por seguro.

—Pues que no prevalezcan, a mí eso me da igual. O mejor, lo prefiero así. Ese cuento de la dominación universal por un nuevo César, inspirado por el reino de Dios, no me agrada nada como muy bien puedes comprender. Por fortuna nunca se producirá, pero sin llegar a eso me molesta que cualquier rey o príncipe (que ni siquiera sabe mantenerse sobre su caballo, llegado el momento) conciba ese sueño y se crea en la obligación de hacerlo realidad, avasallando a los demás. Prefiero con mucho el equilibrio de los poderosos que resulta más fructífero y llevadero y, aunque no lo parezca, es lo que hace marchar a la historia.

—Estamos hablando de cosas distintas —repuso el doctor, un tanto impaciente y fatigado por su callado esfuerzo para sostener la conversación y no caer en la molicie o en el exabrupto—. Cristo no vino a traer la paz, él mismo lo dijo, y en cuanto al reino contra el que no prevalecerán las armas de sus enemigos, es de una naturaleza que tú no puedes alcanzar. Allí no llegan tus flechas; allí donde Cristo nos ha prometido el perdón de la falta y la redención de nuestra miseria por la vía de la gracia.

Encogió las piernas, luego se incorporó del asiento. De repente sonó un crujido y su cabeza apareció ladeada sobre sus rodillas recogidas, con una expresión de picardía. Era una cabeza singular (la de un cretino, dotado de singular chispa), redonda, con un erizado pelo de color paja fresca y corto como el de un lansquenete. O estaba congestionado o debía de haber soportado una reciente insolación, en una de sus peregrinaciones al sur, tan colorada era su piel. Lo más llamativo eran sus ojos y no por su brillo sino por su disposición, separados entre sí y arrimados a las sienes y acaso no a la misma altura. Con aquel escorzo y la maligna sonrisa que provocaba unas marcadas y concéntricas arrugas en su mejilla, pareciera que su cabeza tras haberse hecho pedazos hubiera sido recompuesta y lañada de manera imperfecta, dejando las indelebles muestras de la rotura y ciertos bordes desportillados: dos trazos convergentes y rojizos —el de sus ojos y el de su boca— a los que parecía haber confiado el esquinado orden de su inteligencia. Movió los ojos antes de seguir hablando, como un payaso:

—Le conocí. Conocí a aquel hombre, como bien sabes, por razones de mi empresa. Me encontré con él en un lugar desierto, no lejos de Siquem, a la salida de una siesta. Era un hombre que disfrutaba durmiendo, se perdía por una siesta. Un día u otro tenía que toparme con él y aproveché el momento en que parecía más apaciguado y seguro de sí mismo. Pero su carácter no congeniaba con el mío. Me llamé a engaño porque tomé al pie de la letra algunos de sus sermones y llegué a suponer que también él deseaba alzarse contra el orden vigente y luchar en busca de otro menos miserable. Pero no; era demasiado respetuoso con las autoridades y pretendía hacer de su pusilanimidad una norma de conducta. Así que nada de recurrir a la fuerza. Como mucho a la protesta. Ya conoces ese tipo de personas que clama contra la injusticia y baja la cabeza ante el gobernador, que dice practicar la pobreza y la humildad y a sí mismo se concede el título más pomposo, salido de la más alta estirpe; que se pierde en promesas, todas de imposible cumplimiento, y por tanto exige sacrificios; que se rodea de crédulos, chiquillos y rameras y busca sus amistades entre pescadores de robustos y desnudos pechos. Ya sabes a qué persona me refiero...

—¡Calla! —el doctor se sintió impulsado por un obligado rapto de furor, un tanto técnico, acompañado empero de un espontáneo golpe de sangre y un obstáculo en su pecho que dificultaba sus palabras—. No sigas, no tolero más tus inmundicias, carnicero. Vete, vete. ¡Fuera!

El doctor se levantó de su asiento, dio media vuelta hacia su pupitre y buscó algo contundente, sin saber con precisión qué, un bastón o un crucifijo. Agarró el tintero de loza y sin apuntar lo arrojó con todo ímpetu contra el lugar tras el tabicón que ocupaba su visitante.

Pero había desaparecido de forma tan imperceptible como había entrado. En la pared blanca contra la que se adosaba el catre quedó la marca de los borrones de tinta: dos líneas casi continuas, en descenso y convergentes (como sus cejas y su boca), que recordaban o quizá reproducían los rasgos más acusados de aquella disipada expresión, como si su perversa energía hubiera quedado grabada en el impresionable enfoscado del muro.

Neuburg

EL PATIO SE LE ANTOJÓ más reducido y estrecho que la noche anterior. Había tomado la casa por una granja de grandes dimensiones, no exenta de cierto lujo paisano, desvanecido a la luz del día que la dejó reducida a una vivienda vulgar, sin ninguna concesión a las comodidades.

Le acompañó un hombre armado con una pesada pica que arrastraba con desgana por un pavimento de guijarros, rebotando en cada junta y haciendo sonar su mellada y mal sujeta cabeza. Ya en el primer encuentro se había encontrado incómodo, envuelto en una situación que habría deseado eludir por todos los medios; y además, abrigaba la convicción de que su intervención no había de servir para gran cosa y tal vez ni siquiera para salvar la vida de aquel pobre hombre.

No se trataba sólo de eso, pensó, estando en juego la paz rota a diario en todos los rincones de Alemania y cuya custodia nadie quería tomar sobre sí en tanto las sectas, las partidas y las bandas de campesinos perseverasen en sus actitudes revoltosas y recíprocamente irreconciliables. La guerra de los campesinos podía darse por terminada —y en los campos volvía poco a poco a restaurarse la tranquilidad, más impuesta por la falta de alimentos y artículos de primera necesidad a causa de las deserciones de campesinos y artesanos que por los beneficios de la victoria de los príncipes—, pero sus secuelas aún no se habían borrado y la paz o la tregua se había alcanzado en condiciones tan precarias que en cualquier momento o en cualquier punto, por una querella de poca monta, podía reavivarse un conflicto que en nada convenía a la causa evangélica. El aire alemán estaba tan saturado de belicosidad que un ladrón podía desatar la guerra civil, obligando a ambas confesiones a tomar las armas. Le incomodaba tener que manifestarse así, incluso para sus adentros; también reconocía que sentía muy lejano —tan lejano que no podía añorarlo y sólo con cierto esfuerzo acertaba a reconocerlo como propio, como una etapa en su formación forzosamente empujada a desembocar en una personalidad atenta a ciertas actividades que había despreciado en sus años de estudios— aquel momento en que su espíritu sólo se cuidara de los misterios de la teología, la reina de las ciencias y cúspide de todo saber. Aquellos años de intensos estudios sobre la fe al menos habían impreso sobre su carácter —y de manera indeleble— el temor a la duda y a la desesperación provocadas por la incapacidad de alcanzar, con los recursos del entendimiento, el más sencillo y cercano de sus misterios. Su fuerza de atracción era de tal magnitud que ninguno de los fenómenos de la naturaleza sería suficientemente poderoso como para distraerle de sus preocupaciones teológicas; pero por lo mismo, el misterio insondable que rodeaba los actos divinos le devolvía una y otra vez a la vida mundana, lastrada con toda la inmanencia implícita derivada de su no aparente desvinculación de la Voluntad Suprema. Una vez tras otra tenía que conformarse con unas cuantas palabras, muy pocas, más allá de las cuales cualquier investigación resultaba infructuosa; se diría que más que definiciones de la esencia divina constituían obstáculos o señales de prohibición para adentrarse en ella. Al menos había conquistado la certeza de que esa clase de agónicas dudas —pues había (eso lo recordaba con toda precisión) consumido noches enteras sintiéndose desfallecer, incapaz de alcanzar con sus limitados órganos una sola emanación de Dios, hundido y zarandeado por el torbellino de unos pensamientos (encadenados a aquellas cuatro palabras) que cuanto más cerca parecían situarle de la divina presencia, más negro y profundo abrían el abismo, en el paso siguiente, que le separaba de ella— nunca le asaltarían en sus negocios con el mundo y con el cuerpo. Y sobre todo en cuanto se refería a los problemas eclesiásticos y políticos pues ninguna fuerza humana sería capaz de desviar un destino regulado en la dirección, tantas veces desconocida y sólo vislumbrada, impuesta por la gracia. Por ese lado nada tenía que temer, se decía a menudo, porque jamás los desórdenes del mundo —incluso aquella inquietud que se había apoderado de todo alemán y de la que, según algunos, él era el máximo o uno de los mayores responsables— arrastrarían al alma a abismos comparables a los abiertos por la *tentatio tristitiae*. La indefinida línea que separaba los dos reinos permitía por lo menos moverse, sin temor al extravío, por uno de ellos —el secular— con entera seguridad; con la terrible seguridad, podía añadir, que emana de una naturaleza arrojada al mal, apartada de Dios y alimentada de la injusticia.

No, en aquellos días no podía equivocarse; su error estaba más allá de donde alcanzaba a ver, y en tanto alumbrara la tenebrosa senda que le dirigía hacia él para tratar de comprenderlo y enmendarlo, no podría equivocarse en sus no vacilantes pasos. Curiosa involución de la caída que, aún sin seguridad, dirige los pasos por el camino recto. Pero las dudas acerca de su propia naturaleza y la turbadora posibilidad de no poderla limpiar totalmente del mal que alojaba en su seno ¿habrían calado hasta el punto de no saber distinguir el lado de la justicia en los asuntos más nimios?

Aquel hombre sin duda se había equivocado no porque marchara a ciegas (en parte como él hacía) sino porque caminaba al revés, en la dirección que más le apartaba de la fe. Y el otro también, por supuesto. Ya no era cuestión de hablarle de la humildad, de hacerle comprender —como tantas veces había repetido— que la humildad sirve para todo y que quien se acoge a ella sabe reconocer qué injusto puede ser en cualquier momento, incluso cuando cree ser más justo. ¿La razón? ¿El libre albedrío? ¿El pago de las deudas? Ah, que no le vinieran con pamplinas.

Pero aquella tarde no quiso ver a Dietmar; no deseaba una nueva entrevista con él desde que en la sesión anterior, tras la visita del secretario, dejara expuesta sin paliativos su postura ante el conflicto. Tenía antes que hablar con el reo. Su expresión inmóvil —una piel que parecía haber perdido la policromía para dejar que asomara el color y el grano de la piedra en que había sido cincelado— permitió sin embargo que se manifestara de manera casi imperceptible la sorpresa, teñida de malestar, que le produjeron las peticiones del doctor. A la primera no se podía oponer, a causa de su indiscutible autoridad. En su ambigua situación su negativa a recibirle le situaría de inmediato entre las filas de sus adversarios, terminando con la doblez que como tantos otros —y sus propios príncipes— había practicado hasta entonces. Pero no acertaba a comprender —le vino a decir— qué podía esperar el doctor de semejante entrevista. Ni por qué se había avenido a intervenir en aquel conflicto —puramente local— del que nada bueno podía sacar; nada, por supuesto, que sirviera para atisbar su solución o mitigar las condiciones impuestas por cualquiera de las partes que lo sostenían. Se había llegado a un punto en que nadie pensaba ya en su origen ni en el hombre que por un arrebato lo había provocado, trasladado después a instancias superiores que se despreocuparían de su suerte para volcarse en la atención a sus respectivas competencias y jurisdicciones. Un asunto que podía llegar hasta la Reichskammergericht mientras a nadie le importaba aquel hombre, arrojado desde hacía cuatro semanas a una dependencia del castillo y no tanto en calidad de reo cuanto como prenda con la que Dietmar pretendía cobrarse sus agravios, sus deudas y el futuro respeto a sus derechos que la ciudad, por boca de su alcalde, ya no reconocía.

La cámara era angosta y larga, sin otra iluminación ni ventilación que las proporcionadas por dos tragaluces muy separados entre sí. En su día había sido utilizada como almacén de paja y el suelo, cubierto en gran parte por ella, despedía un fuerte olor a fermentación. Fuera de uso y situada en el extremo de unos viejos y abandonados establos, era utilizada de tanto en tanto para encerrar a un siervo desmandado lo bastante imprudente como para, tras la comisión de la falta, ser aprehendido por las gentes del castillo y juzgado y castigado por la justicia de su señor. No era ése su caso, ciertamente, sino todo lo contrario pues el siervo en falta o se echaba al monte o buscaba refugio en un burgo donde tras una estancia de un año y un día la franquicia le permitía adquirir los derechos de ciudadanía. Pero había hecho lo contrario, huir de la ciudad para refugiarse en el castillo.

Era un caso excepcional; tan excepcional que la bodega apenas había sido utilizada como calabozo en los últimos años y se decía que tal era el desuso en que había caído que de uno de sus últimos inquilinos se había tenido noticia por el hallazgo de sus huesos, olvidado por unos y otros en una de las largas correrías de las gentes del castillo durante la guerra de los campesinos. El prisionero no era un hombre endeble pero su salud se había visto afectada por los días de huida en el monte, masticando hierbajos y patatas crudas, y la falta de luz y el régimen de comida en la cámara. Sentado sobre el banco de piedra, también cubierto de paja, con un grillete en el tobillo, no se molestó en levantar la mirada a la entrada del doctor, que se detuvo a unos pasos de él.

Estaba esperando la cena, enojado por su tardanza.

—Levanta la frente, mírame. —El doctor

lo dijo en un tono autoritario pero no tanto para hacerse obedecer cuanto para abreviar el incómodo y casi superfluo preámbulo para dar a conocer al prisionero el objeto de su visita—. He venido para hablar contigo y tratar de ayudarte en lo posible. Estoy de paso por aquí; he sido informado de tu situación y del mal paso en que te encuentras y he decidido interceder por ti. Tendrás que hablar claro; me explicarás todo el suceso, sin ocultarme nada, si deseas que te ayude. Tengo prisa pero no ahorraré tiempo ni esfuerzo hasta estar seguro de que se hará justicia contigo. Por ambas partes. Me basta con saber que eres merecedor de esa justicia.

El prisionero levantó la frente, acaso con estudiada lentitud, más para dar a entender con su mudez la poca importancia que concedía a la visita y al ofrecimiento que para celebrar el anuncio contenido en ellos. Sin duda la cena ocupaba toda su atención. No abrió la boca —el labio inferior caído— y no fue capaz de sostener la pesada mirada del doctor. Sus rasgos eran tan vulgares que el desorden y la suciedad acumulados durante las semanas de reclusión le habían ennoblecido, prestándole un carácter que recientemente adquirido no le abandonaría ya más, adscrito para siempre a la comunión en un secreto no alcanzable por el amor al prójimo. El mal le ha agrandado y robustecido, pensó el doctor, con la ayuda de Satanás escondido en cualquier hediondo rincón de la cámara, espiando sus gestos y atento a sus palabras. El doctor dio un paso al frente para situarse casi a un palmo de las rodillas del prisionero.

—¿Es necesario que repita lo que he dicho? —preguntó con un acento aún más apremiante, perentorio y autoritario, como si le importara más el reconocimiento de sus servicios y el homenaje a su buena voluntad que el resultado de los mismos. En verdad había aceptado aquella encomienda con una desgana que había tenido buen cuidado en disimular, obligado por su renombre y por la ineludible fatalidad que pesaba sobre él desde que se había convertido en el hombre más popular de Alemania, el más respetado por unos y el más execrado por otros. Había entonces recordado aquellas certeras palabras escuchadas en el monasterio: «Qué extraño es el retrato que la popularidad hace del hombre, cómo lo falsea todo.» Jamás había sospechado, antes de acceder a la fama, que tal estado supusiese semejante incomodidad y tensión para su espíritu, situado en el centro de una pugna y poco menos que convertido en el campo de batalla de dos bandos irreconciliables, incansablemente dispuestos a no ceder al otro una pulgada de terreno. Y por añadidura, en ningún momento podría caer en la tentación de abandonar la lucha que, además de la iniciada por él mismo en el terreno dogmático, tenía que librar casi a diario para dirimir asuntos mundanos. Ya en Wittenberg se sucedían de manera constante las visitas de clérigos y pastores que acudían a solicitar su consejo para resolver sus pequeños asuntos parroquiales, de poca o ninguna importancia; y gente del pueblo a exponerle sus agravios, incluso sus problemas familiares y domésticos; lo mismo ocurría con los alcaldes y de tarde en tarde también se veía obligado a despachar con algún consejero, algún dignatario y hasta algún príncipe, con su conciencia dividida por los escrúpulos al igual que lo estaban sus tierras entre las facciones y banderías que proliferaban en Alemania. De profesor de teología había pasado a ser abogado de la nación alemana, tras comprender que nunca haría triunfar sus tesis si, por cansancio, saturación de trabajo o simple aburrimiento, cerraba las puertas de su improvisada y móvil consulta al más humilde de sus clientes. Cuando se ponía en viaje y se llegaba a saber de su presencia, en el más apartado rincón aldeano, las solicitudes que hasta él llegaban eran tan numerosas que se veía obligado a seleccionarlas para atender sólo una parte de ellas. Por eso prefería, cuando era posible, viajar de incógnito enfundado en las ropas de caballero y armado con la espada que conservaba desde los días de su estancia en Wartburg.

Con regular frecuencia le invadía una llevadera nostalgia de su estancia en el casti-

llo al amparo de Federico, el elector de Sajonia. «Mi Patmos», acostumbraba a llamar-
lo, o «el reino de los pájaros», cuando se refería al castillo donde por única vez había
llevado una vida de verdadero incógnito, des-
figurado por la barba, disfrazado con las ropas de un caballero y distinguido con el
nombre de Jorge. Tal vez nunca más goza-
ría de una tal libertad interior, como un
complemento de la despreocupación facili-
tada por el disfraz y el seudónimo, de una
tal soberanía para en todo momento elegir
el sujeto con que su voluntad había de satisfacer las ansias de su espíritu. Por primera vez sus ojos habían reparado en la riqueza, en la armonía y en la elegancia, incluso
en el rostro de una muchacha, sin temor al
oculto demonio de la concupiscencia. Pero
sobre todo no era una nostalgia del ocio o
la despreocupación o, menos aún, de la carencia de disciplina con que podía moverse
por el castillo y sus alrededores, en la so-
ciedad de hombres y mujeres sin severas
constricciones cotidianas. Era, si así se debe
describir, la nostalgia de la libertad para elegir el modo de confinar y comprometer su
libertad; la manera de no estar disponible,
la regla emanada de sí mismo que cubrien-
do todas las apariencias le separaba del caballero Jorge y le mantenía ceñido a la disciplina del monacato. La obediencia a sí
mismo, por menos rigurosa más costosa y
exigente que la que había profesado a las

reglas de la orden, poco menos que seguidas con una conducta en la que no tenía entrada el juicio ni la interrogación ni el embarazo de la duda. Con ese talante y con tal régimen se había impuesto la lectura y traducción de los libros sagrados, del griego y del hebreo y al principio sin ayuda de diccionarios, para descubrir por vez primera que el oblicuo método con que había llenado sus ocios le había conducido al descubrimiento de todo un territorio inexplorado, de olvidadas riquezas que sería necesario divulgar y distribuir entre sus fieles. Y entonces más que nunca, como un auténtico pastor, no encubierto por el disfraz ni el seudónimo, su espíritu voló hacia sus fieles: el creyente alemán al que la palabra de Cristo llegaría intacta, la verdadera buena nueva, tras tantos siglos usurpada y tergiversada por los patrísticos latinos.

Nunca había obtenido tanto fruto de su trabajo ni enriquecido su alma con unos conocimientos que, a pesar de atesorarlos de antiguo, sólo entonces cobraron todo su significado y toda su fuerza. Conocía la doctrina de memoria pero nunca hasta entonces se vio tan deslumbrado por la luz que emanaba de ella, en alemán. Como si la palabra de Jesús, tantas veces escuchada en el banco en una lengua incapaz de alterar el pulso, en alemán le llegara directamente de sus labios, con el tono no exaltado de un poder tan irresistible que la lectura del párrafo le transportaba a aquel llano, cercano al mar y no lejos de Cafarnaum adonde él, Martín, había acudido para escuchar la palabra del Señor: «No juzguéis para que no seáis juzgados. Porque con el juicio con que juzgáis seréis juzgados y con la medida con que medís seréis medidos» y hasta acertó a percibir el murmullo de asombro de la multitud y hasta sintió en su boca el polvo del llano levantado por la inquieta multitud bajo el sol de Galilea. Y entonces comprendió —por la lectura de su propia versión al alemán— que la palabra de Jesús no se dirigía tan sólo del oído al entendimiento ni se detenía allí sino que se convertía en la carne de Cristo por el mismo acto de la transfiguración. Y que por eso mismo había bajado al sepulcro.

—Dime, ¿es necesario que repita por segunda vez para qué he venido? ¿No comprendes que en estos momentos sólo me importa tu suerte?

El prisionero levantó de nuevo la frente, pero al sentir tan cerca al doctor, se echó para atrás hasta dar con la espalda en el muro.

—No; no es necesario. No necesito nada.

El doctor reculó.

—Te equivocas; necesitas muchas cosas —dijo el doctor con severidad, al tiempo que se ponía en jarras—. Tanto como que se te haga justicia necesitas una cura de humildad. Te veo invadido por el orgullo y has olvidado el crimen que has cometido. Sin duda estás convencido de que el daño que te han hecho es mucho mayor que el que has causado tú y crees que eso te otorga algunos derechos; derechos que no gozabas cuando eras un simple siervo y debías limitarte a cumplir las obligaciones para con tu señor, a cambio de una manutención. Crees que la justicia está de tu lado; pues a lo que me han dicho, y lo puedo leer en tus ojos, estás convencido de que el crimen no sólo te ha emancipado de tu condición sino que te ha concedido el título de juez y la potestad de juzgar a los que han de juzgarte. Si eso es así, nunca has estado más lejos de saber lo que es la justicia, paisano.

El prisionero no respondió pero tampoco rehuyó la mirada del doctor e incluso la sostuvo con cierto aplomo; poco a poco fue mudando su expresión para forzar una sonrisa (que en modo alguno era una sonrisa, tan sólo una ligera extensión lateral del labio y una flexión de la mejilla, acompañadas de un minúsculo balanceo de la cabeza como para asentir a la muda opinión formada con anterioridad que estaba ratificando con el silencio) con la que sustituir la respuesta y permanecer callado. El doctor sabía muy bien que la suerte de aquel hombre estaba echada y que su vida no tenía más valor que el de un objeto de trueque; o peor aún, existiendo para él muy pocas posibilidades de perdón, se trataba de saber por qué y por quién sería castigado, si por el delito cometido hacía años o por el reciente crimen; o la justicia de quién, si la de Dietmar o la de la ciudad, representada por el alcalde, había de prevalecer; y a cambio de qué reconocimiento o cesión uno de ellos cedería sus derechos al otro.

Al doctor nada le mortificaba tanto, en las difíciles circunstancias presentes, como ser requerido por un partido cualquiera, de los muy numerosos y heterogéneos en que se hallaba dividida Alemania, para militar en contra de su opuesto. Por añadidura no podía tolerar que aquel hombre ignorante y obstinado, haciendo caso omiso de sus exhortaciones, pudiese confundirle con un representante autorizado de cualquiera de las dos jurisdicciones en pugna e interpretase su visita como un intento de resolver el conflicto en favor de una de ellas. El doctor no era partidario de una ni de otra y poco le importaba el fuero con que había de ser juzgado el reo. Desde el primer momento había cobrado una espontánea aversión hacia Dietmar y en principio —si le hubieran designado para dirimir el litigio, que no era el caso, así lo habría fallado— prefería que el crimen fuera juzgado por la corte municipal; al fin y al cabo era un hombre libre y acosado que había buscado refugio en su antigua gleba. En cualquier caso le esperaba la horca, fuera en la plaza, en las afueras de la ciudad, en alguna encrucijada de caminos o en el patio de zu Meinecke (1). Y todo por un cesto de cangrejos.

Una vez más había tenido que interrumpir su carta, en esa ocasión dirigida a su amigo Linck, de Nuremberg. Enojado y muy contra su voluntad había recibido al secretario del ayuntamiento —que había acudido a la posada en cuanto supo de la estancia del doctor en Neuburg, un poco antes de la cena—, y si había atendido a su solicitud, tras probar unos bocados de un guiso de buey y beber media jarra de cerveza de trigo, que no apreciaba tanto como la de cebada, no había sido por tomar sobre sí y pleitear la causa del municipio sino, empujado por un deber que cabía llamar apostólico, por hacerse cargo del caso para demostrar la sinrazón de las tres partes (incluyendo la del prisionero) e impetrar los ejemplos evangélicos para buscar una forma de justicia que sin rozar ni vulnerar las leyes vigentes

(1) Era la media tarde cuando el doctor, tras esperar más de una hora la barca, atravesó el Danubio en su viaje de vuelta. Todavía —pensaba— contaba con un plazo para intervenir en aquel asunto tan mortificante. Pero el espectáculo que presenció, tras recorrer media legua de la margen izquierda, le movió a alterar su itinerario para dirigirse al norte, directamente hacia Nördlingen. El ajusticiado era irreconocible; carecía de ojos y orejas y dos cuervos encaramados en sus hombros hundían sus picos en su boca abierta.

—fueran las municipales o las del señorío— sirviera de ejemplo en su lucha por la reforma de la condición cristiana. Sabía muy bien que en caso de alcanzar algún éxito alguien se encargaría de darlo a conocer y su noticia pronto llegaría a los más apartados rincones de Alemania. Pensó que nada tenía que perder, pero la mirada cruzada de aquel hombre —obsesionado por la cena, tal vez por el amargo recuerdo del cesto de cangrejos— le hizo comprender una vez más lo que tanto le había atormentado, para retroceder hacia el dolor provocado por una (aun la más injusta, gratuita e infundada) acusación.

Aquel hombre podía acusarle —y de hecho lo estaba haciendo con sólo mirarle de reojo y mover la cabeza con el ritmo uniforme de quien ejecuta una labor artesana, como si accionara el pedal con que afilar un acero para atravesar su alma— y perseverar en su acusación hasta el pie de la horca. No podía tolerarlo. No sabía de qué pero tenía que convencerle de algo; acaso de que él era inocente y nada tenía que ver con una u otra justicia. ¿Qué hacía allí, entonces? No podía absolverle y el prisionero no mostraba ninguna necesidad de compasión. El doctor sintió de súbito que había enfilado un camino sin saber a dónde conducía y a la mitad de él le había sido cerrado el paso. El doctor reculó de nuevo y acaso para disimular su retirada cruzó los brazos sobre el pecho, casi a la altura del esternón, en una actitud de estudiada autoridad.

—No quiero creer —dijo— que aceptas la muerte y el castigo eterno por un cesto de cangrejos. Por un miserable cesto de cangrejos.

Pero el otro no se dejó humillar, aliviado por la distancia que de nuevo le separaba de su visitante, como el sufrido y castigado combatiente que con todo ha salido airoso y casi indemne del primer asalto.

—Así es, padre —dijo en voz baja.

Le sorprendió que le llamara así. Nada en su atuendo denunciaba su condición y tras su primera intuición nunca habría sospechado en aquel rústico la penetración suficiente para adivinarla. Si su actitud y sus palabras —y tal vez su tono de voz— le habían denunciado, ya no tenía necesidad de andar con tapujos y utilizar frases ambiguas con el siempre fastidioso propósito de ocultar su identidad y su profesión eclesiástica. Pero tampoco quería revelar su verdadero nombre, aun cuando la confidencia quedara confinada en un calabozo y vertida a un hombre a unos pasos de la horca, tanto por el temor a un desaire cuanto por el deseo de persuadir sin hacer uso de su poderosa resonancia. No; con aquel sencillo asentimiento, el doctor se vio instantáneamente despojado de su personalidad pública y reducido a su persona, encarado a un rústico que sin proponérselo podía convertirse en su juez.

Su máxima le había fallado; no haría más uso de ella, decidió, al tiempo que reconocía la necesidad de rectificar. «Porque con el juicio con que juzgáis seréis juzgados.» Y sin embargo la máxima prevalecía; al establecer una difícil razón de mutualidad ni presuponía una jerarquía ni imponía una dirección única del juicio; pero si arduo y poco menos que imposible resultaba obedecerla para quien había sido investido con esa facultad, ¿cómo cabía imponerla a quien habiendo sido juzgado contaba tan sólo como todo haber con la réplica al juicio? ¿Debería suspender todo juicio, en cierto modo como hizo Cristo, hasta la comisión de todas las faltas?

—Me da igual. Que hagan lo que quieran —dijo el prisionero, alzando la voz—. Que me den de cenar al menos. Vosotros siempre hacéis lo que queréis. Ésa es la diferencia. Nosotros no podemos querer, así nos lo habéis enseñado. Por tanto, no quiero nada. Un poco de cena y luego un sueño. ¿No estás satisfecho, tú?

Era el momento de rectificar, pensó el doctor.

—¿Ni siquiera los cangrejos? ¿No estabas dispuesto a entregarte a cambio de la devolución del cesto de los cangrejos?

—Me importan poco los cangrejos. Os los podéis comer a mi salud. Una fuente de cangrejos y unas jarras de cerveza. Cerdos. Así os hagan reventar.

Todo el asunto le había cogido por sorpresa. Era la penúltima etapa (a la mañana siguiente se pondría de viaje para alcanzar su destino, Pottmes, desconocido hasta unas pocas horas antes) y había elegido una confortable posada que, consideró, se tenía bien ganada tras tantas fatigas. Había llegado el momento de descansar por toda una tarde y decidió aprovechar la hora del crepúsculo para despachar la carta a su amigo Linck, de Nuremberg. Una hora antes de la cena tomó la pluma y seguro por esa vez de que llegaría al final de su confesión, escribió de una tirada las primeras líneas:

A su carísimo superior, fidelísimo siervo en Cristo, Wenceslao Linck, en Nuremberg.

Gracia y paz en Cristo Jesús, Nuestro Señor.

Reverendo e integérrimo padre en Cristo: Sé que es injusto mi silencio y fácilmente puedes sospechar que se ha debido sólo a mi pereza y a las muchas horas que me roban las monjas y los frailes que han abandonado los conventos y a cuyas necesidades tengo que atender. Ruega por mí: estoy tan ocupado en tantos negocios externos que corro el peligro de terminar en carne, yo que comencé en espíritu. Hoy, después de seis días, he hecho del vientre tan duro que creí que iba a exhalar el alma. Ahora me encuentro doliente, lacerado y sangrante como una recién parida y me temo que en los próximos días no conoceré el descanso. Doy gracias a Cristo que ha dispuesto mi cuerpo para toda clase de dolores y fortalece mi resistencia a Satanás que me tienta con un vientre ligero. Por esas inmundicias es por donde acierta a introducirse, como las ratas y las moscas, para atraerme con toda clase de promesas cada vez que voy a defecar. Te lo digo no para que me compadezcas sino para que me congratules y te sumes a mis oraciones para que me haga digno de la fe.

Si sabía de siempre que Satanás está en todas partes, ahora he comprendido que se muestra más activo en cuanto Nuestro Señor Jesucristo alumbra una conciencia para continuar su obra; y aprovecha para descansar en tanto sestean y rebuznan los asnos de Roma. Me temo que quiere divertirse conmigo, como si este negocio fuera un juego, y pienso que su insistencia es la mejor prueba de que he acertado en la elección del camino, a pesar de tantas caídas.

Me ha llegado el rumor de que Venecia envía al emperador como regalo muchos centenares de miles de florines y que Florencia, por su parte, ofrece más de cinco toneladas de oro para pagar la lucha contra el turco. Pero de boca del doctor Martín Lutero en persona he oído que está dispuesto a perder un ojo y una oreja si Venecia, el Papa y el francés se han pasado al lado del emperador sinceramente y no echan mano de todo su dinero y recursos para cebar su incomprensible

odio a la cesárea majestad a base de hipo-
cresía, mentiras y engaños hasta que los tres
se pierdan del todo para lo que sin duda Dios
echará una mano por haber puesto en peli-
gro la noble y piadosa sangre de Carlos. Por-
que «a fe mía» no puede olvidar el desastre
de Pavía y el señor in nomine Domini *aún*
se estremece pensando en el Saco de Roma;
es una ballena de nacimiento, que ya es bas-
tante; pero además es un florentino, lo que
es ya peor; en tercer lugar, es un hijo de puta,
lo que equivale a decir que es el diablo en
persona. Los venecianos son venecianos y con
eso está dicho todo y además tienen otras ra-
zones para vengarse de la sangre de Maxi-
miliano.

Si no se hubiera detenido en ese punto y
abandonado la habitación para calmar su
sed tal vez no habría sido importunado por
Werra para anunciarle la presencia en la posada del secretario del ayuntamiento, al que
acudió a saludar por creer que se trataba
de una de tantas visitas protocolarias, de
breve duración, a las que estaba de sobra
acostumbrado y sabía despachar con cuatro
frases y una bendición. Pero el secretario se
demoró, tras las frases de cortesía, para solicitar su intervención en el caso de un des-
graciado que había creado un conflicto de
competencias entre la ciudad y el señorío
de zu Meinecke, eternamente enquistados.
No le pedía sino un par de visitas y un dic-

tamen sobre el asunto que ambas partes, estaba persuadido, aceptarían sin réplica.

El hombre había acudido al mercado semanal con un cesto de cangrejos cobrados por él mismo no lejos de la confluencia del río con el Pfunz, en un lugar donde acostumbraba a echar sus reteles a partir de principios de abril para ganarse unos pocos peniques. Años atrás se había escapado de zu Meinecke, acusado de latrocinio, y con ciertas estratagemas había sabido acogerse a la franquicia de Neuburg trabajando para un comerciante de paños y quincallas. En sus horas de ocio operaba de furtivo; iniciaba el año con aquellos cangrejos de primavera para a seguido ofrecer en el mercado las peras tempranas que robaba de noche; en el verano colaboraba aquí y allá en las tareas de la recolección, que apenas le dejaban tiempo para sus correrías, y en otoño colocaba sus cepos con los que rara era la semana que no cobraba una liebre; si en el invierno lograba dar muerte a un ciervo, cuya carne salaba y vendía a escondidas, podía considerar que cerraba la temporada con un más que aceptable balance. Con frecuencia era sorprendido por guardas y aparceros que solían vender su silencio por una participación en el negocio, si no perjudicaba sus intereses. Pero en aquella ocasión no tuvo la menor opción para negociar; un par de alguaciles le exigieron la licencia —de la que nunca había oído hablar— para vender los cangrejos en la plaza (a un precio muy atractivo a causa de su escasez en aquellos años en que los paisanos comían hasta los desperdicios) y al reconocer que carecía de ella le requisaron el cesto; a cambio de sus protestas recibió un empujón que le derribó en el suelo y cuando intentó recurrir a la violencia le fue propinado un bastonazo que le quebró una costilla por lo que estuvo inmovilizado una semana. Apeló a un conocido, un intendente del mercado, por considerar que no había incurrido en nada ilegal en la cobranza de los cangrejos ni menos aún en su intento de venta en el mercado; nada habría hecho si se hubiera tratado de frutas, hortalizas o caza, que siempre tenían dueño, pero a su entender no existía ninguna disposición acerca de unos cangrejos de libre disposición. Las aguas y sus riquezas no tenían dueño, a su juicio. El intendente le dio a entender que no podía interceder por él pero que nadie le negaba él permiso para cobrar cangrejos en cualesquiera aguas y riberas, incluso en las tierras del señorío, limitadas por el Pfunz. Incluso le dio a entender también que vería con buenos ojos un segundo intento de su parte, aunque sólo fuera con el objeto de rebajar los humos de los alguaciles. Tal vez el hombre interpretó a su manera unas ambiguas conclusiones que no tanto significaban una licencia para vender su mercancía cuanto una instigación a la revancha.

—¿Por qué quieres incluirme entre los que piden tu castigo? ¿Crees que tengo algo que ver con ellos? Me han pedido que intervenga en el caso y he venido, por mi propia voluntad, a saber qué puedo hacer por ti. A saberlo de tus propios labios. Que confieses tus faltas y solicites el perdón de ellas, para saber qué se puede hacer.

—Nada; nada se puede hacer —dijo el prisionero, con mortal desgana.

—Tienes un alma a la que no dejas hablar, encerrada como está en la pocilga del odio. Sólo quiero abrir y limpiar esa pocilga para que en ella entre la luz de Cristo y tu alma camine hacia su redención.

—Al diablo mi alma. Tengo un cuerpo encerrado en un calabozo, molido a bastonazos y muerto de hambre.

—Y la bestia de tres patas que te espera ahí fuera.

—Por si fuera poco. La bestia de tres patas por haber pescado tres arrobas de cangrejos. Una pata por arroba. Y tres codos de cuerda.

Aquel segundo intento fue lo que le perdió, creyéndose protegido por las palabras del intendente. No sólo de nuevo le despojaron de su mercancía sino que arrastrándolo a la fuerza a un corral cercano al ayuntamiento lo molieron a palos entre dos alguaciles y dos paisanos desconocidos para él. Cuando Dietmar fue informado del suceso y se enteró de que su antiguo siervo andaba huido tras haberse tomado la venganza por su mano sobre el cuerpo de uno de los alguaciles al que encontraron sin vida, una semana después, al borde de una acequia y con la cabeza rota, decidió capturarlo con su propia gente, persuadido de que se había refugiado en sus tierras, fuera del alcance de los alguaciles. Sólo le costó unas horas dar con él, escondido entre las ruinas de una granja incendiada durante la guerra.

Por fin tenía la prenda necesaria para negociar directamente con el alcalde, sin recurrir a un litigio ante la corte de la Sajonia electoral (que con buen criterio presumía que no le sería favorable, por razones que nada tenían que ver con el fuero), sobre el derecho de pastos en unas tierras cuya propiedad había sido embargada por impago de deudas y sería en breve vendida en pública subasta a la que Dietmar pretendía acudir por el derecho de retracto. El alcalde había exigido la entrega del prisionero, sin entrar en ninguna clase de negociación, por entender que el juicio por homicidio debía anteponerse a cualquier otro y había amenazado con el uso de la fuerza para hacer valer los derechos de la ciudad para conducirle a la prisión y a la corte municipal. Pero Dietmar sabía muy bien que se trataba tan sólo de una bravata, dirigida a los lectores de bandos para aplacar sus ánimos y tratar de restablecer una autoridad municipal seriamente vulnerada por los desmanes tanto de ciudadanos como de paisanos, por la carencia de fondos y créditos y por la abstención pecuniaria de la mayoría de los contribuyentes; sabía también que ningún alguacil se atrevería a cruzar la línea del Pfunz y traspasar los límites de zu Meinecke sin otra protección que su banda amarilla y por añadidura había llegado a sus oídos la noticia del descontento que había surgido en el cuerpo de funcionarios y guardias, siempre insatisfechos con su paga y temerosos de los riesgos que tenían que asumir para cumplir en precario sus funciones y que, acreedores de un número de haberes, sólo esperaban la incompetencia del alcalde para resolver el homicidio de su compañero para provocar una revuelta dirigida hacia la misma casa de la corporación. Un estado de cosas que sin duda era alimentado por algunos burgueses y comerciantes, de confesión opuesta a la del alcalde, dispuestos a aprovechar la ocasión para arrebatarle la vara.

—De esa forma —dijo el doctor— y con esa obcecación tan sólo estás despejando el camino hacia el infierno y la condenación eterna.

Cuando por la indiscreción de Werra con el posadero, el secretario del ayuntamiento tuvo noticia de que el doctor se hallaba de paso en Neuburg, protegido por el incógnito, se lo comunicó sin pérdida de tiempo al alcalde, que vio en él al enviado de Dios, dispuesto a salvarle de su apurada situación.

Sin dilación despachó al secretario con una carta en la que resumía la situación creada por el vendedor de cangrejos y le rogaba que tuviera a bien demorarse unas horas para actuar de mediador, hacer por su cuenta una visita a Dietmar y obtener de él el gesto de buena voluntad que sirviera para restablecer en la ciudad el imperio del orden. Con cierta cautela no mencionaba en su carta las diferencias religiosas que habían surgido entre los burgueses ni su secreta disposición a cambiar de confesión si el doctor operaba el milagro y conseguía que conservara la vara, aun a riesgo de cavar más hondo el abismo que le separaba de zu Meinecke. La escisión religiosa no había separado a Alemania en dos bandos sino que había multiplicado por dos los ya existentes, creando una divisoria más que una conciencia poco escrupulosa podía administrar a su antojo para extraer el máximo provecho de la política de alianzas. El alcalde —que dominaba un consejo de catorce concejales, en su mayoría nombrados por los comerciantes, que representaba a los tres estados— suponía que un día podría llegar a un acuerdo con Dietmar, basado en un beneficio recíproco, independiente de sus mismas o diferentes confesiones. En aquellos días anteriores a la liga de Schmalkalda todos esperaban un pronunciamiento superior antes de hacer el suyo propio; primero de los príncipes, luego de los obispos y párrocos y por último de los representantes de cofradías y hermandades, de los concejos y hasta de los vasallos. Pero los Wittelsbach de Baviera que encabezaban la oposición a los Habsburgo eran los más ardientes defensores de la Iglesia de Roma; reconocían el liderazgo político del landgrave de Hesse y lamentaban la elección de Fernando como rey de los Romanos, cuyo apoyo necesitaban para sus pretensiones territoriales y dinásticas. Tan pronto un hermano insinuaba una política, el otro la dirigía en sentido contrario, llevando la confusión hasta los más intransigentes de ambas causas, el duque y el elector de Sajonia, hacia los cuales Dietmar observaba una obediencia alternativa, un mes a uno y el siguiente a otro. Por añadidura la confesión luterana en Baviera y la Alta Sajonia carecía aún de fronteras y se distribuía al sur del valle del Altmühl como las gotas de aceite vertido sobre la superficie del agua romana, antes de reunirse (gracias a la ruptura de la tensión superficial y al poder de atracción de las moléculas idénticas) en una vasta área donde los partidarios de Roma y del emperador habrían de resignarse a vivir aislados si no se decidían a abandonar sus hogares y emigrar hacia tierras —hacia la vecina y más segura Suabia, al otro lado del Wörnitz— dominadas por sus correligionarios.

La comprensión con que el doctor sabía recibir las vacilaciones de cualquier espíritu en materia teológica contrastaba con el grado de cerrazón que demostraba hacia toda mudanza de conducta, cualquiera que fuera, derivada o no de aquéllas. Acaso era la manera de sublimar su propia desobediencia y el método más recio para persuadir, a quien quisiera oírle, y demostrar que eran sus enemigos quienes se habían apartado de las normas cristianas. Una vez más, para él, había que distinguir entre el reino espiritual y el secular, y si en el primero hasta el alma más recta podía verse desprovista de la gracia y acosada por las asechanzas del demonio, lo que obligaba a mirarla con benevolencia y a ayudarla en el trance para restaurar en su seno el orden promulgado por la divinidad, no cabía en el segundo ninguna complacencia ni la menor piedad hacia quien pretendiera negociar con las inquietudes de la fe. Es lo primero que había visto en Dietmar, un traficante entre ambos bandos.

En verdad, buen número —quizá la mayoría— de los problemas suscitados en Alemania desde la lectura de las 95 tesis escapaba a su cabal entendimiento, sin duda por su irrefragable tendencia a reducirlos todos a un único origen y tratar de resolverlos con una única, aunque compleja, ley. Su propia época de vacilaciones había pasado, gracias en buena medida a la protección del elector y a su mundana curación durante su estancia en Wartburg, y poco menos que las tenía olvidadas, aplastadas por el peso y la firmeza de sus convicciones. Pero con ellas se había esfumado también un cierto talante conciliador, incompatible con el denuedo con que había decidido defender su causa. Cuando a esa causa se sumaron otros paladines —muchos de ellos salidos del mundo secular y dispuestos a defenderla en su terreno, con la fuerza y la espada— en el espíritu del doctor empezaron a surgir numerosos problemas, que nunca había previsto y para los que carecía de solución e incluso de entendimiento. Los más intrincados procedían del campo de sus fieles y amigos, pues todos los suscitados por sus adversarios podían ser apartados —ya que no resueltos— por el principio de enemistad, por la irrecusable repetición entre los hombres de la divisoria entre la ley de Dios y la rebeldía de Satán. Pero esa frontera no existía en el campo de sus seguidores y adeptos y si cobraba realidad sería en cada alma individual, que por consiguiente requería para su comprensión y tratamiento un examen singular. Allí, en el alma atribulada, podía y sabía aplicar, con la seguridad de un experimentado físico, una ciencia que no servía para salir al paso de los numerosos trastornos públicos y políticos provocados por la defensa de su causa. El caso del emperador Carlos era sin duda uno de los más inquietantes y denotativos; sin duda era su enemigo, el hombre que le había convertido en un proscrito, y sin embargo deseaba ardientemente que triunfasen sus esfuerzos por la pacificación religiosa, para llegar a ser el nuevo Otón, el príncipe más poderoso de la Cristiandad.

Ante casos así con frecuencia no sólo se sentía perdido sino que le parecía marchar a ciegas. Se diría que entre el alma cristiana y el reino de Dios existía todo un terreno sumido en la noche en el que, incomprensiblemente, el hombre de mundo (como un Dietmar) se movía con toda soltura (como si su visión estuviera adaptada a tales sombras o como si no deslumbrada por la luz celestial acertara a ver lo que no sabía distinguir el miope ojo místico) y no necesariamente guiado por el demonio. Por eso —suponía— le había sido tan útil su estancia en Wartburg donde tantas maneras mundanas había aprendido y donde había enseñado al ojo a reparar en aquellos detalles que tan insignificantes le parecieran en el Claustro Negro. Salió de allí convencido de que el disfraz de caballero que había usado durante diez meses había calado en su cuerpo —sin tocar el alma— y le había dotado con una facultad de la que carecía antes de ser internado en el castillo. Por eso había llegado a creer que provisto de aquellas dos armas —el arte de persuadir sin entrar en razones de fondo y la fuerza de convicción para apelar al fundamento de toda conducta— en adelante sería más sencilla la defensa de una causa que ningún espíritu noble sabría o querría combatir. Pero no fue así, ni mucho menos, y en los años siguientes a su comparecencia en la dieta, tan ásperos o más que los precedentes, al tiempo que se desvanecieron aquellas esperanzas se robusteció su fe, se encrespó su talante y se exacerbó su temperamento combativo hasta el punto de no dejar pasar una ocasión para enfrentarse con sus adversarios y provocarlos con un subversivo panfleto en cuanto se habían apagado los ecos de la última asonada. En su fuero interno, las cosas no eran —con toda probabilidad— muy diferentes; su espíritu no conocía un solo día de paz, como si en él se reprodujeran en sombras todos los trastornos de su pueblo y le llevaran a pensar «que nos hemos merecido lo que pasa y recelar que quizá sea Dios mismo quien excite de esta suerte al Diablo como castigo colectivo del país alemán».

Le largó un sermón un tanto corrosivo y amenazador. El prisionero no se inmutó. Ni la palabra Dios ni la palabra Cristo ni la palabra alma ni la palabra Satán ni la palabra infierno fueron lo bastante fuertes como para penetrar en la fortaleza de su indiferencia. «No debe quedar ningún diablo en el infierno; todos se han trasladado a los cuerpos de los campesinos», y decidió observarlo, por última vez, con justa cólera. Pasó por su cabeza la idea, que desechó en seguida, de hacer un trato con su vida.

«Felón, perjuro, desobediente y blasfemo.» «¿Blasfemo yo?», recordó con un estremecimiento aquella desvergonzada salida de tono. Hizo un segundo gesto, sin la menor convicción. Una pálida y alargada figura había aparecido (como una mancha de cal en un ropaje oscuro) en el extremo de la bodega, anunciando su intención de acercarse con un gesto del brazo. No percibió el gesto contrario del doctor.

Repitió los epítetos para buscar y solicitar la ayuda de una indignación que había escapado a su genio (al igual que tras la involuntaria interrupción del coito o del apetito se repliega y esconde el vehículo que transporta el deseo, estólido, trunco y descalzo sobre una húmeda irrealidad, sin lugar hacia el que dirigirse), no obedecía a su reclamo ni se prestaba a avalar su furor. Ni siquiera era furor. Más bien estupor, un estado cuyas visitas su alma recibía con el mayor recelo y acostumbraba a despachar con la mayor descortesía.

Ni siquiera se atrevió a encararse de nuevo con el prisionero. «El reconocimiento de los propios pecados...», empezó a decir, y concluyó la frase en voz baja, dirigida al suelo, con la vista puesta en la mancha blanquecina en el otro extremo de la bodega, un tanto vacilante. Pero el doctor le detuvo de nuevo con idéntico gesto, al tiempo que se despedía del prisionero. «Si quieres mi absolución», farfulló.

Kansas City Public Library
14 West 10th Street

Date charged: 11/27/2017,17:11
Item ID: 0000181883364
Title: Wedding doll [videorecording (DVD)]
Date due: 12/4/2017,23:59

Date charged: 11/27/2017,17:11
Item ID: 0000154575724
Title: El caballero de Sajonia
Date due: 12/18/2017,23:59

Date charged: 11/27/2017,17:11
Item ID: 0000172348575
Title: 1900 [videorecording (DVD)] = Novecento
Date due: 12/4/2017,23:59

Date charged: 11/27/2017,17:11
Item ID: 0000184362497
Title: Jackie [videorecording (DVD)]
Date due: 12/4/2017,23:59

Date charged: 11/27/2017,17:11
Item ID: 0000178880886
Title: To Rome with love [videorecording (DVD)]
Date due: 12/4/2017,23:59

Date charged: 11/27/2017,17:11
Item ID: 0000181849522
Title: Son of Saul [videorecording (DVD)]
Date due: 12/4/2017,23:59

Date charged: 11/27/2017,17:11
Item ID: 0000172392227
Title: Europa Europa [videorecording (DVD)]
Date due: 12/4/2017,23:59

k You
701-3400

Al instante comprendió que de nuevo se había equivocado. La prisa, o el deseo de terminar de una vez, habían provocado el desliz. Pero también intuyó al instante —como para compensar el anterior fallo— que solamente él podría saber por qué se había equivocado y por qué nunca el error tendría entrada en la fórmula ritual.

—No la necesito; no la quiero para nada —respondió el prisionero, con una repentina vivacidad, con la instantánea y perversa ganancia en la futilidad—. Ni la necesito ni la quiero para nada pero la acepto. Así me dejarás en paz.

El doctor reculó. El prisionero clavó en su cara una mirada vengativa y mudó de tratamiento.

—Fíjese en lo que le digo, padre; a mí no me sirve para nada pero a usted sí. A usted le sirve para quedarse tranquilo, convencido de que ha cumplido su misión pastoral. Nada tiene que reprocharse, le pagan para eso. Usted sí que se va en paz, ésa es la diferencia. Los beneficios que prodigáis los curas siempre recaen sobre vosotros. Usted me da la absolución pero yo soy quien le absuelve.

El doctor dio dos pasos. No levantó el brazo. La sombra en blanco se adelantó hacia él, con incontenible prisa. Antes de ir a su encuentro, el doctor se volvió hacia el prisionero:

—Cerdo —le dijo.

En Pottmes

LA SALA SE HALLABA INVADIDA por un aroma poco penetrante pero ingrato. Construida como el resto del pabellón muy recientemente, aún no se había evaporado el inconfundible olor de la albañilería, del tendido de yeso de las paredes, no del todo endurecido. Aún no había adquirido la inodora temperatura de una habitación usada —pese al fuego que ardía en la chimenea— y adolecía de unos remates inconclusos torpemente disimulados. Una ventana que carecía de cristales había sido cegada con unas tablas, ocultas con un viejo cortinón que clavado a la pared se extendía por el suelo, y por el frontal de la chimenea que esperaba un medallón o un escudo de armas asomaba un indiscreto tabique, de una condición muy distinta al resto de la sala, como el ojo de un gañán que espiara una reunión de señores. Se veía que había sido provisional y apresuradamente amueblada, con unos cuantos sillones, sillas y mesas recogidos aquí y allá del resto de la casa, por lo que todo el mobiliario se sentía incómodo y desplazado, como los comparsas reclutados para una sola escena de la comedia y aburridos aguardan la llegada de los primeros actores, y a duras penas guardaban la compostura en espera del momento de volver a casa.

Al poco de ser introducido en la sala, el doctor se sintió sometido a la tensión del descontento. Una cierta sensación de engaño —o de fraude, o de decepción— se apoderó de él. Se dijo que si tan largo viaje —y tan lleno de vicisitudes— había de concluir en tan improvisado escenario, y cabía inferir que nada importante podía tener lugar en él, bien se lo podía haber ahorrado, tras escuchar la voz de la prudencia (y del recelo y de la pereza) que con tanta insistencia y con tan diferentes lenguas le habían recomendado renunciar a él. Pero tales voces habían sido superadas no tanto por la de la vanidad y la arrogancia —que tan generosamente le atribuían sus adversarios— cuanto por la irresistible atracción que ejerciera su posible participación en un hecho que acaso sería recordado en los anales de su país. A la postre, el ruego del elector se había impuesto a todas las recomendaciones en contra.

Había despachado a Sancta Clara, que como *socius itinerarius* le había acompañado desde Eichstätt, donde sólo una hora antes de abandonar el monasterio había sido recibido por el abad —de vuelta de aquel viaje de rutina improvisado y precipitado—

para comunicarle la índole del negocio y el itinerario que debía seguir hasta Pottmes. Entonces eligió Neuburg como penúltima etapa de su viaje para hacer noche en la posada del Ciervo de Plata, famosa por sus asados de cerdo y buey, donde al día siguiente un coche los había de recoger, a él y al hermano Benjamín a Sancta Clara, para trasladarlos a Pottmes a la casa de un tal caballero Kilian. Cuando hubo quedado solo —sin despojarse del gabán pues la habitación no estaba caldeada pese al fuego del hogar, y se diría que tardaría años en estarlo—, atribulado por la molesta sospecha de que una vez más iba a ser utilizado por unos poderes que sólo deseaban hacer uso de su influencia sin apoyar plenamente sus proyectos ni sus ideas para la reforma eclesiástica (la comunión con las dos especies, el matrimonio de los sacerdotes, las leyes paritarias, la limitación del poder de la Iglesia al principio *sine vi sed verbo*), decidió enviar por su saco y aprovechar la espera que presumía había de ser larga para escribir la carta que ya había interrumpido en varias ocasiones a lo largo del viaje.

Para la ocasión no sólo cambió una vez más de corresponsal sino de sujeto. Después de todo, la confesión no era tan urgente y quién sabe si necesaria; al fin y al cabo, la caída era un hecho más en el camino de la pasión. ¿Sería así la confesión —mantenida en secreto— la estratagema de la tolerancia y la puerta entreabierta al engaño a la propia conciencia? Abandonó a Staupitz (en cuanto supo que su encuentro no tendría lugar, consideró que su carta también podía demorarse) y a Wenceslao Linck y optó por dirigirse al hombre con quien tal vez podía sincerarse con mayor grado de libertad.

Arrimó una pequeña mesa a la ventana, tomó asiento y empezó así:

Al doctor Justus Jonás, hermano carísimo en Cristo, escondido por Nordhausen.

Gracia y paz en el Señor. En verdad no sé qué escribirte, Jonás mío, yo que respiro de impaciencia a causa de la tempestad y de la flojedad de mi espíritu. Al orar por mí y hacerlo con diligencia en realidad estás haciendo algo de lo que estoy yo, un vil desecho de Cristo, tan necesitado. También yo lo hago por ti de todo corazón, para que Cristo se apiade de ti, ya que me he enterado de que de nuevo estás gravemente atacado por los cálculos. Quizá te convenga volver cuanto antes junto a nosotros, ahora que la peste ha amainado. Todo el barrio de tu casa ha permanecido incontaminado y sé muy bien cuánto le agradaría a tu Ketha y al pequeño Justo volver a él.

Me encuentro en tierras de Franconia y me dirijo a la temible Baviera por negocios cuyo alcance todavía no acierto a vislumbrar. Aunque sospecho que Satanás y sus embajadores no andan muy lejos me acompaña la cer-

teza formidable de que Cristo es el vencedor del mundo, como tantas veces se dice en el evangelio y en el salterio y ¿por qué entonces habríamos de acobardarnos ante el mundo derrotado, como si en verdad fuese el vencedor? En las próximas horas puede ser que tenga ocasión de comprobar quién es verdaderamente el dueño de nuestros destinos.

El príncipe me ha ordenado venir aquí mientras los demás se ponen en marcha para la dieta. Ni Florencia ha sido tomada ni ha pactado con el Papa, lo que no parece que le apene demasiado. El ejército de la ciudad siempre proclamó su obediencia al emperador y los imperiales no han tomado represalias.

De todo ello podemos deducir el poder de nuestras oraciones si persistimos en nuestra actitud. Corre el rumor de que los turcos han prometido, o amenazado, que el próximo año volverán a Alemania con todas sus fuerzas y que los tártaros nos atacarán con fuerzas no menores. Pero está escrito: «El Señor deshace los planes de los gentiles.»

Antes de continuar, fue interrumpido por el chirrido de las llantas, los golpes de los cascos sobre los adoquines del patio y los lamentos de las ballestas, seguidos de unas voces. El doctor se levantó a presenciar la llegada de los viajeros, cuidándose de no ser visto. Una vez más había sido sorprendido, pues esperaba su llegaba para más tarde, a eso del mediodía, según las informaciones que había recibido. El apresuramiento no dejó de agradarle, un indicio de la diligencia de los viajeros y de la importancia que concedían a la entrevista. Dos coches, cada uno con tres tiros dobles, se habían detenido junto a la puerta principal de la mansión contigua, seguidos de algunos jinetes —algunos armados con picas— que se apresuraron a desmontar para formar una exigua guardia y asistir al descenso de los viajeros. Los caballos —que inquietos cabeceaban, resoplaban y piafaban, como si por inercia no pudieran detenerse completamente tras tan prolongado ejercicio y necesitaran un tiempo para acomodar sus músculos al reposo— mostraban por los chorros de sudor y la espuma que invadía sus belfos el duro esfuerzo a que habían sido sometidos, un indicio más que fue favorablemente acogido por el impaciente doctor.

Desde su ventana apenas pudo ver la entrada de los viajeros en la casa, obstruida su visión por los coches. Ni siquiera pudo contarlos, pero quiso creer que cuando menos eran cinco. «No es lo acordado», se dijo. El doctor volvió a su improvisado escritorio y para no dar lugar a cualquier indiscreción recogió y guardó en la faltriquera el recado de escribir, tomó la inconclusa carta y —tras releerla de un solo vistazo y comprobar que nada sustancial se perdía con ella— la arrugó y la arrojó al fuego. Se abrió la puerta en el otro extremo de la sala, asomó una cabeza —la de un principal de la casa, no su propietario con el que había charlado sumariamente a su llegada pero que se había cuidado bien de demostrar que no podía perder mucho tiempo, ocupado por asuntos domésticos de mayor urgencia— y anunció:

—Ha llegado el emperador.

La puerta permaneció entreabierta, sujeta por aquel hombre oculto tras ella, y el doctor quedó un tanto desconcertado, sin saber qué hacer. Apenas conocía los usos y gestos áulicos y se preguntó si tal vez estaba obligado a bajar y presentar sus respetos al emperador, en lugar de esperarle en aquella sala, invirtiendo en cierto modo el orden de la pleitesía. Una vez más le invadió una sensación de desamparo y desasosiego, situado en el centro de un complot y privado de buena parte de sus recursos para que un poder, si no enemigo al menos ajeno, hiciera con él lo que le viniera en gana. A la fuerza tenía que recordar aprensiones anteriores, como las que le asaltaron en los días de carnaval de 1521 —siempre presentes en su memoria—, antes de acudir a la dieta que para sus amigos y seguidores sólo podía ser la trampa mortal preparada por los partidarios de Roma; la sombra de Juan Hus, provisto de un salvoconducto firmado por el propio emperador Segismundo para asistir al Concilio de Constanza donde fue procesado y quemado en la hoguera, volvía como en los días de aquel augural y desvergonzado carnaval (mientras los estudiantes por las calles de Wittenberg paseaban, zarandeaban y escarnecían monigotes que figuraban al Papa y sus cardenales) a planear por la estancia para señalar un destino en el fuego. Al igual que entonces podía repetir las palabras que había dirigido a Pellican: «No soy dueño de mí; no sé qué espíritu me arrebata.»

Por no hablar del incidente de Waltershausen que aún le producía escalofríos; si aquello había sido organizado por un corazón amigo decidido a raptarle e internarle en un castillo para garantizar su seguridad, ¿cómo no iba a esperar que en cualquier momento se produjera, organizada por una mano mucho más poderosa, una conjura del mismo carácter pero de signo opuesto?

Se abrió la puerta y el emperador entró de rondón en la sala, seguido de tres caballeros y Sancta Clara tras ellos. El doctor le reconoció al instante, aunque habían pasado unos cuantos años desde su único y breve encuentro en la dieta, cuando era un joven imberbe. Dio dos pasos hacia él, dobló la rodilla sin llegar a tocar el suelo con ella y le besó la mano.

—Gracias, Martín —dijo el emperador—, gracias de corazón por haber atendido mi ruego y haberte tomado la molestia de viajar hasta aquí.

—En ningún momento —mintió el doctor— pasó por mi cabeza la idea de declinar vuestra invitación que me fue transmitida por el príncipe. En ningún momento. Si lo pensasteis así es porque me conocéis mal o porque os han dicho de mí cosas que no corresponden a mi manera de ser. Además, desde hace mucho tiempo deseaba poder hablar con vuestra cesárea y sacra majestad pero no podía encontrar el modo (ni a través de mis amigos y protectores) de propiciar un encuentro que vuestra larga ausencia de la tierra alemana hacía poco menos que imposible. Por consiguiente vuestras instrucciones han tenido para mí un carácter casi milagroso, inspiradas sin duda por la Divina Providencia.

—No lo dudo, no lo dudo. —El emperador no pudo evitar una mueca de desdén y sorpresa, sin duda motivada por el estado de la sala que recorrió con media docena de pasos. Se acercó a la chimenea y extendió sus palmas hacia el fuego. Luego golpeó con los nudillos el tabique que esperaba el medallón y dirigió a todos los presentes un gesto de asombro un tanto pícaro, propio de un colegial—. Roeulx, La Chaulx, podéis retiraros. Usted también, padre —dijo dirigiéndose a Sancta Clara—. Gattinara, deseo que nos acompañéis.

Los dos aludidos, abrigados con extensas lobas oscuras, se retiraron en pos del eclesiástico, con la sumaria reverencia que denotaba la costumbre que tenían de recibir tales instrucciones. El emperador tuvo un gesto amable hacia Gattinara, al que tocándole en el antebrazo condujo hasta un sillón de cordobán junto al fuego. Parecía exhausto, arrastraba los pies, movía la cabeza y le temblaba la mano derecha y al cruzar junto al doctor hizo un profundo gesto de asentimiento.

El emperador se volvió hacia el doctor, con el evidente propósito de dar un giro a su tono autoritario.

—¿Has hecho un buen viaje? —preguntó al tiempo que se despojaba de un balandrán de paño leonado, con el cuello, las solapas y las bocamangas forradas de piel de zorro, que dejó sobre el respaldo del otro sillón gemelo al anterior. No ostentaba ningún signo de su potestad, no lucía el collar de la orden del Toisón del que (se decía) jamás prescindía en ocasiones señaladas. Vestía una casaca de damasco verde oscuro, con pasamanos de oro y brocados de tres altos, debajo de la cual asomaba un jubón de tela blanca muy fina, con cuello a la valona; los gregüescos eran verdes y asimismo de un tono más rebajado las medias de seda, con ligas de tafetán blanco y rapacejos de oro y aljófar, los borceguíes datilados y los zapatos encerados.

—Debe de ser un largo trayecto desde tu tierra. Unas cuantas jornadas.

—Ha sido largo y cansado pero no he tenido grandes dificultades —respondió el doctor para dar a entender tanto la eficacia de los salvoconductos imperiales cuanto la inseguridad de los caminos que había recorrido.

—Siéntate, Martín —dijo el emperador, señalando el sillón junto a la ventana que había ocupado para escribir—. No tenemos mucho tiempo pero tampoco vamos a despachar de pie. Espero que nos acompañes en el desayuno; con las prisas apenas hemos probado bocado.

Con un ligero movimiento de cabeza el doctor dio a entender cómo apreciaba la invitación. No le disgustaba el acento del Habsburgo, mucho más cargado y resonante que su silbante sajón; hablaba el alemán con notorias imperfecciones —lo que ni mucho menos provocaba un distanciamiento— y el doctor advirtió de inmediato que tal desventaja le situaba por necesidad del lado de la franqueza. Conservaba todavía una expresión adolescente, como si sus rasgos —muy acusados— hubieran adquirido su forma definitiva muy poco tiempo atrás; era un poco lampiño, con un mentón afilado, y en su piel pálida destacaban unos labios protuberantes demasiado subidos de un malsano color; su rubio bigote sólo adquiría sombra sobre la comisura de los labios de forma que más que pelo pareciera las manchas de una reciente bebida que no se hubiera cuidado de limpiar.

Antes de que lo hiciera el doctor se sentó frente a él, cruzó una pierna sobre otra y apoyó el codo en el brazo del sillón, con la displicente actitud cortesana de quien puede acomodarse a su manera mientras los demás han de atenerse a una cierta compostura.

—Supongo que te imaginas para qué estamos aquí —dijo. Observó de reojo a Gattinara, detrás de él, para corroborar que todo se atenía a sus instrucciones—. Y supongo que también comprenderás sin dificultad por qué he rodeado este encuentro de tanto secreto. No siempre encuentro en algunas personas toda la confianza que necesito de ellas.

El doctor dirigió su mirada hacia Gattinara, con toda intención.

—Un secreto, te aseguro, que nadie se atreverá a romper. Pero quiero que Gattinara esté con nosotros, para contar con su opinión. Está al corriente de todos los asuntos de Alemania y entre nosotros no hay discrepancias respecto a lo que nos ha traído aquí.

—Yo no he tenido nunca secretos —dijo el doctor con un tono un tanto sermonario, como para centrar las cosas—. Así me ha ido. Sé muy bien que si en ocasiones me hubiera guardado algunas palabras, mis adversarios no se habrían apresurado a utilizarlas a su manera, para su provecho y contra mi nombre. En Alemania todo se rige por el buen nombre y las apariencias y en todo pacto secreto está metido el demonio.

El emperador rehusó replicarle cara a cara y bajó la vista. «Siéntate, anda, siéntate», musitó, con algo de temor de que el doctor largase una tirada en defensa propia que nadie le había pedido, que iniciase una controversia y que llegase a enrarecer de inicio el carácter de la entrevista que lo último que deseaba era convertir en una requisitoria o una exposición razonada de las diferencias de todo orden que les separaban. Y mucho menos aún, sabiendo de oídas de la habilidad, el empecinamiento y la robustez oratoria del doctor, dar pie para entrar en una disputa sobre las cosas de la fe en las que el emperador era un lego, un creyente firme e intransigente sin la menor capacidad (por su cesárea potestad) de abordarlas con el arte de la retórica. Eso fue razón suficiente para no admitir en su reducido séquito a ningún teólogo, convencido —y hasta algo hastiado— de su intrínseca determinación a desoír sus recomendaciones políticas y llevar todas las cuestiones a su propio terreno, al amparo de su espiritual potestad. Justamente por el convencimiento de que ninguno de los consumados teólogos que reiteradamente habían sido enviados a tratar con el doctor habían sabido abrir la puerta de la negociación, cerrándose en sus opiniones dogmáticas, el emperador había tomado sobre sí la difícil iniciativa para encontrar entre ambos una tregua política.

Presumía que en cualquier momento saldrían a relucir las circunstancias que habían rodeado su único y breve encuentro en la dieta, y las consecuencias que su negativa a retractarse habían tenido para el fraile, declarado en el edicto cismático y hereje, proscrito dentro del Imperio y los Estados imperiales; se hacía cargo de que la casi nula efectividad del edicto —desoído por el elector de Sajonia, que sin solicitarla él le había otorgado su protección— sólo había servido para fortalecer la causa del doctor y que si había de llegar a un compromiso con él, por vago y dilatorio que fuese, sería al precio de la promesa —aun igualmente vaga y dilatoria— de revocar una sanción tan descomunal. Pero aun cuando tal asiento entrase en las cuentas del emperador, prefería reservarlo para el final, para cerrar un saldo que en su columna recogiese buena parte de sus pretensiones, la tregua religiosa la primera. Por eso deseaba cualquier cosa menos comenzar la entrevista con una recapitulación de la historia pasada entre los dos o de las diferencias existentes entre las dos heterogéneas causas que uno y otro conducían. Eso era lo difícil, le había dicho en una ocasión el cardenal de Tortosa, anterior y fugaz Papa, Adriano de Utrecht: cómo hacer que dos principios se avengan y pacten —el espiritual y el temporal— sin establecer primero la sumisión de uno a otro; cómo lograr que un príncipe cristiano obedezca los mandatos de la Iglesia si no acepta su jerarquía y cómo se concilian dos sustancias heterogéneas para formar un solo-uno armónico; e incluso menos, cómo hablan dos personas con el fin de entenderse si cada una es más fuerte que la otra en su propio terreno.

—Y sin embargo —añadió el doctor, todavía de pie—, siendo gran enemigo de los secretos me veo obligado a vivir como un proscrito, como un bandido. Soy una no-persona, según el edicto. Tengo que viajar disfrazado de caballero y provisto de un salvoconducto con nombre falso. La vida más impropia para un pastor de Cristo.

El emperador se contempló las manos, refugiado en el azoramiento para contener la réplica.

—Siéntese, doctor. Siéntese de una vez.

El doctor acusó el cambio de tratamiento, reconoció su turbación de la que no podía salir nada bueno, bajó la cabeza que había mantenido muy erguida y tomó asiento.

—A mi salida de Worms os escribí una carta a la que no he recibido contestación. En ella os decía lo que antes y después he repetido mil veces; que no puedo retractarme de mis escritos pues hacerlo así sería obrar contra mi conciencia, que está prisionera de Dios. Pero en cuanto alguien me demuestre, con los textos de las Escrituras proféticas y los Evangelios, que estoy en el error, me retractaré de él y seré el primero en arrojar mis libros al fuego.

El emperador le miró de soslayo para hacerle saber que estaba escuchando una lección que conocía de memoria. Con su más imperial gesto —la cabeza ligeramente escorzada, el mentón avanzado y apoyado en el puño, el labio inferior montado sobre el otro— le fue diciendo en silencio que no se había tomado tantas molestias ni corrido unos riesgos que él, el doctor, desconocía pero podía presumir, para concertar una entrevista en la que sólo iba a oír, sin ninguna variante, lo que ya había dicho en la dieta y después lo había repetido hasta la saciedad —por sí mismo o por boca de sus discípulos— en Nuremberg, en Marburg, en Leipzig y en todas partes.

—Recibí esa carta antes de salir de Worms. La recuerdo muy bien, está archivada. Pero no estás en lo justo si crees que no tuvo contestación; la tuvo y bien pública. La contestación fue el edicto, no tenía otra salida. Me enviaste la carta por el heraldo, Gaspar Sturm, y por consiguiente tenía que ser dada a conocer a los príncipes, electores y obispos que aún permanecían en la ciudad. No podía ser de otra manera. Otra cosa habría sido si me la hubieras hecho llegar por vía privada y que en ella hubieras incluido algo, no digo qué, que habías callado en la dieta y que te pareciera necesario tratar entre nosotros dos. Pero no fue así; fuiste tú quien optó por repetir por escrito y de manera fehaciente lo que habías dicho de viva voz, sin quitar ni poner una coma. Tú mismo premeditaste la respuesta que no podía ser otra. Pero todo eso es agua pasada y de nada vale que disputemos sobre las causas y efectos que han concurrido a la presente situación que es la que importa. Te he convocado para hablar de ella, no del pasado, y ver de buscar entre los dos algunos remedios antes de que sea demasiado tarde.

Llamaron a la puerta; hasta la sala llegaron los ecos de unas voces quedas.

—Las cosas han ido demasiado lejos, Martín, en parte por culpa mía; espero de ti, para poder entendernos, un reconocimiento semejante.

—Cobijo toda clase de culpas —respondió el doctor, con actitud de recogimiento—. Incluso aquellas que no pueden ser perdonadas en este mundo y que solamente por la gracia, más valiosa que todas las indulgencias, me podrán ser condonadas.

Llamaron de nuevo y Gattinara hizo ademán de levantarse, con senil dificultad, pero la puerta se abrió y por el hueco asomó la misma persona que había anunciado antes la llegada del emperador.

—Adelante.

La puerta fue abierta del todo y en el centro de su marco apareció una mesa, cubierta con un mantel y dispuesto el servicio del desayuno.

—Las cosas han ido demasiado lejos, Martín —repitió el emperador— y ni tú ni yo cumpliremos con nuestros respectivos deberes si no hacemos todo lo que está en nuestras manos para detener la catástrofe.

La palabra «catástrofe», con un fuerte acento en la última sílaba, resonó en la sala con un repique que no desagradó al doctor, adicto a los términos escatológicos y apocatásticos, para asordinar el tintineo de las copas y las musitadas órdenes de aquel hombre, seguido de dos camareros. A un gesto de Gattinara dispusieron la mesa cerca de la chimenea y a indicación del emperador se sentaron los tres a ella, con el consejero en el centro.

El desayuno consistió en un potaje de lentejas, con trozos de tocino y de salchichas rojas de Nuremberg y unas tostadas de pan de centeno, acompañado de dos jarras, una de malvasía y otra de vino blanco. En tanto eran atendidos por el cuerpo de la casa el emperador llevó la conversación a otros terrenos, interesándose por la relación que el doctor, los párrocos y los hombres de religión en general mantenían con el campesinado, con la burguesía y con la nobleza para entrar luego, como pisando ascuas, en la tan debatida cuestión del matrimonio de los eclesiásticos y en las ventajas que presentaba para acercar la religión al pueblo y llevar la enseñanza cristiana a todos los hogares. El doctor moderó la palabra. Dijo que ya había expuesto por escrito su opinión en dos manifiestos, uno dirigido a la nobleza cristiana de la nación alemana y otro a sus magistrados, en los que exhortaba a todos ellos a dedicar el mayor esfuerzo a la educación de la juventud pues en el alejamiento de los niños y adolescentes de la escuela cristiana es donde se producía el apartamiento del hombre adulto de la religión, de la norma y de la ley, con los funestos resultados que a diario se estaban viendo, con un campesinado que pese a haber perdido la guerra seguía comportándose de manera levantisca y desordenada, dispuesto en todo momento a tomarse la justicia por su mano y no respetar otros mandamientos que los de su codicia. Dijo que ya en sus años de estudiante se decía que «no es más grave violar a una virgen que descuidar a un escolar», y si lo primero era reputado como el más condenable crimen, apenas se reparaba en lo segundo que bien se podía considerar su causa. Añadió que en otro escrito había dejado bien claramente expuesta su opinión acerca de la absoluta necesidad que el cristiano tiene de obedecer a la justicia y al poder secular, bien claramente establecida en los Evangelios y en las epístolas de san Pablo y que en la dirigida a los romanos ya decía: «Sométanse todos al poder y a la autoridad» para añadir más adelante:

«No os toméis vosotros mismos la justicia, dejad lugar a la cólera de Dios.» Agregó el doctor que en sus mencionados escritos en un principio se había limitado a señalar los límites de la autoridad secular y advertir al hombre cristiano hasta dónde le debía obediencia pero que después, a la vista de los desmanes que en toda Alemania habían provocado las bandas de campesinos ladrones y asesinos, había dirigido su atención en otro sentido para que el pueblo honrado supiera a qué atenerse respecto a ellos y no dudara a la hora de aplicarles el merecido castigo.

Poco a poco el doctor se fue calentando y en un momento de sofoco apuró el vaso de malvasía, para despejar la garganta. El emperador, con gesto gentil y diligente, rellenó hasta arriba su vaso pero el doctor, tras limpiarse los labios, devolvió su contenido a la jarra. Sin dar tiempo a que los dos comensales justificaran para sus adentros su grosería, en mor a la frugalidad y al sentido del ahorro del monje, el doctor se adelantó:

—Ahora me toca ese vino —dijo—. Ahora me toca elegir a mí.

Y se sirvió hasta el borde un vaso de vino blanco que vació de un solo trago. A continuación sus protestas subieron de tono. Dijo que tenía pensado redactar un nuevo escrito —continuación de aquella exhortación a la paz, a propósito de los doce artículos del campesinado de Suabia, que se vio obligado a hacer pública cuando la rebelión se extendió a otros Estados y regiones— en el que denunciaría a los verdaderos instigadores de la guerra, los predicadores de mentiras, los zwinglianos y los voceros de la liga. Los llamó perros rabiosos, hijos de Satanás, para arremeter luego contra el archidiablo de Mühlhausen. El emperador y su consejero, aprovechando que el doctor se echaba un bocado o un trago al cuerpo, cambiaban furtivas miradas sin duda para transmitirse la extrañeza —o la sorpresa— que les producía tan exagerados pronunciamientos en boca del hombre al que ambos tenían por el apóstol de la desobediencia y de la subversión.

El doctor respondía a una táctica tomada de antemano y para eludir un cierto despliegue de enojosas cuestiones por parte del emperador, que raro sería que no terminasen en llamadas a la sumisión y a la disciplina, había decidido presentarse a sí mismo como el súbdito más leal, el hombre de orden partidario de la mano dura para con quienes intentasen alterarlo o subvertirlo y, en último término, como el primer soldado de Cristo en cuanto —como temía— surgiese la inevitable cuestión del acatamiento a Roma.

Cuando concluido el desayuno (la jarra de vino blanco había quedado vacía) fue retirado el servicio y se vieron de nuevo solos, el emperador —sin intentar disimular la premura que le espoleaba— volvió al asunto que más le importaba y para cuya posible solución había concertado aquella entrevista.

—Poco me preocuparía —dijo— este lamentable estado de cosas si no supiese que procede del desorden que reina en las almas de tantos alemanes. No es sólo el pueblo el que está revuelto. Se han producido a no dudar demasiados abusos por parte de unos y otros y los príncipes y los magistrados tienen la obligación de acabar con ellos. La paz de los Estados es cosa de ellos y si quieren que vuelva a reinar tanto en las ciudades como en las aldeas, tendrán que obligar a la nobleza a ser la primera en acatar la justicia y las leyes constitucionales del Imperio. Pero no voy por ahí, no he venido aquí a hablar de eso. Mi deber es mantener unido el Imperio que heredé de mis mayores y restablecer la armonía y la concordia entre sus Estados, en un momento en que la guerra civil, fomentada por el francés, es una constante amenaza. Pero difícilmente podré lograr mi propósito si son los príncipes los primeros en abrazar la rebelión y fomentar la discordia. No quiero recurrir a los ejércitos imperiales (como no recurrí a ellos en la guerra de los campesinos) y no deseo que mi título me sea reconocido por haber vencido a un Pompeyo alemán. ¿Y qué de extraño tiene que los campesinos se levanten contra sus señores si están viendo todos los días cómo los párrocos y frailes abandonan los conventos y se alzan contra sus obispos, los condes contra sus príncipes y los príncipes contra su emperador?

—Son cosas muy distintas y no comprendo cómo se pueden mezclar. Cada día tengo más clara cuál es la obediencia a la que se debe un cristiano y eso me ha ayudado a comprender, sin ninguna clase de reserva, cómo se concilia la fe con la observancia de la ley secular que no en balde emana directamente de Dios para quedar depositada en las manos del rey y del emperador.

—Así lo piensan todos, eso es lo malo. Hasta el último bribón asegura que obedece a la llamada del Señor y sigue la senda que le marca su conciencia, iluminada por su fe en Cristo. Una fe que arrastra a muchos a romper sus juramentos y sus votos. Eso es lo malo. No lo malo, lo peor. De suerte que la raíz de nuestras desdichas está en que cada cual puede interpretar a su manera las palabras de Cristo y hacer de su doctrina (que es única y verdadera) buen número de credos, diversos y falsos pero todos amparados por su santo nombre. Y eso es la herejía, Lutero, lo sabes muy bien; el mayor de los pecados que puede cometer un hombre.

El doctor recibió la reprimenda en silencio, con la cabeza baja, pero no perdió el aplomo. Cuando la alzó su boca temblaba ligeramente, de manera irreprimible, y sólo la abrió cuando hubo pasado el golpe de furor, tras una profunda inspiración.

—Majestad —dijo—: mayor pecado que

apartarse de las palabras de Cristo será desvirtuarlas, corromperlas y destituirlas. El primero es la apostasía y el segundo, ciertamente, la herejía, más grave por cuanto el hereje rara vez se retracta y procura con todas sus fuerzas propagar sus errores entre sus hermanos para hacerse poderoso. Si por un solo instante yo sospechara que había incurrido en herejía, sería el primero en prender la hoguera para abrasar en ella mi pecado conmigo.

El emperador no quería ir por allí y a toda costa tenía que alterar el curso de la conversación. El emperador tenía ante sí un hereje (una no-persona), así declarado por su propio edicto en el que además se ordenaba que nadie le recibiese ni amparase ni encubriese ni favoreciese, bajo pena de incurrir en crimen de lesa majestad. El emperador estaba incurriendo en crimen de lesa majestad y no podía perder de vista las nefastas consecuencias que para su propia potestad podía acarrear el resultado de aquella entrevista si de allí salía un Lutero desairado, dispuesto a hacer público el fracaso. Una herida que sólo podría ser cauterizada con una medida extrema —con un incidente semejante al de Waltershausen, pero de otro signo— que a todas luces le obligaría a aplicar un giro a toda su política alemana y apelar a continuación a las armas. Pero por encima de ello —y en busca siempre de un entendimiento— el emperador deseaba llevar la conversación a un terreno más práctico que dogmático y partir de los numerosos sobreentendidos que el avispado Lutero tendría que haber intuido y aceptado de antemano antes de acudir a la cita; y si no quería ver al fraile encastillado en la misma obstinada actitud que había mantenido durante su breve y dramática comparecencia en la dieta —repitiendo una y otra vez las mismas aburridas y socorridas protestas— tenía que eludir en lo posible las referencias al edicto y, si no lo había comprendido ya, darle a entender que el encuentro de Pottmes suponía una tácita, interina y secreta suspensión del mismo, el primer paso para dictar su revocación si concedía las satisfacciones que se esperaban de él y una de facto aceptación de las condiciones de Spira.

El doctor se levantó, hundió las manos en los bolsillos del gabán y se aproximó a la ventana para observar el patio, animado por el cambio y ajetreo de los caballos y las ruidosas conversaciones entre guardias, sirvientes y una lechera con los brazos al aire.

—Siempre ocurre lo mismo —dijo—. Es anatema que el hombre vuelva su mirada hacia el Salvador y trate de seguir al pie de la letra aquellas sus palabras que los Evangelios nos han preservado. En cambio, nadie ha condenado las tergiversaciones que a lo largo de los siglos y poco a poco han ido introduciendo los falsos sucesores de Pedro para reinar en nombre de Cristo en la corte romana. Han vuelto al paganismo, majestad, y ningún cristiano en su sano juicio puede creer que ese borracho de Clemente sea el representante en la tierra de Nuestro Señor. La historia es pesada pero no inamovible y nada resulta tan duro y esforzado como alzarse contra los malos usos y los vicios que nos legaron nuestros antepasados. Por eso es necesario volver constantemente la mirada hacia Cristo y averiguar si lo que hoy sucede se corresponde con su muerte en la cruz. Y por eso he pensado con frecuencia que Dios nos ha enviado a vuestra cesárea majestad para poner fin a los numerosos males que padece Alemania y de paso darle un repaso al Papa, una ocasión que se perdió hace un par de primaveras.

El emperador se apretó la nariz con ambos índices y luego se acarició la barbilla de color avellana. Gattinara se removió en su asiento.

—Yerran aquellos hombres —dijo el consejero, con la mirada firme sobre el monje— que piensan que el emperador es elegido por la industria de los hombres. Sólo Dios da ese cargo y sólo Dios lo puede dar para instaurar en este mundo la monarquía universal y católica, a imagen del reino de Dios.

«No sé si eso me gusta mucho», pensó el doctor antes de replicar.

—Precisamente —contestó Lutero— y por eso el triple cometido de su autoridad será, primero, la concesión a todos sus súbditos de los beneficios de la paz de Cristo, segundo, la defensa de su Iglesia y, tercero, la lucha contra Satanás y el anti-Cristo que quieren destruirla.

—Desde fuera y desde dentro —replicó Gattinara; se había acentuado el temblor de su mano apoyada en el brazo del sillón—. Difícilmente podremos defender las fronteras de nuestro Sacro Imperio contra los descarados y desalmados enemigos de Cristo que las amenazan, si antes no lo hemos limpiado de los traidores y herejes que se esconden en él. Porque es empeño de nuestra sacra, invicta y cesárea majestad hacer de éste el cuarto imperio universal anunciado por el profeta Daniel, para extender por sus tierras las palabras del Evangelio y que la Iglesia de Cristo, única y verdadera, reine sobre todas las almas.

—Es propósito que tengo presente en todas mis oraciones y al que humildemente me sumaré con todas mis fuerzas —dijo Lutero.

Pero sin decirlo pensó: «Me conformo con menos. Con la paz temporal me doy por satisfecho.»

El emperador se estiró, apretando con ambas manos sendos brazos del sillón.

—No puedo permitir, Martín, que mis compañías alemanas y mis soldados españoles y sicilianos tengan que recorrer en pie de guerra los Estados del Imperio, para sofocar aquí o allá la rebelión. El rey Francisco tiene empeñado su honor en mantener la paz, pero no me puedo fiar de estos franceses que cuanto más prometen más quieren hurtar. Ni siquiera por Milán se atreve a dar la cara, pero no le falta quien, a cambio de sus promesas, se encargue de avivar la hoguera de la guerra. El turco está a las puertas de mis Estados hereditarios y en Hungría ese pobre Zapolya, incapaz de defenderse, está dispuesto a convertirse en vasallo del sultán, con el apoyo naturalmente del francés. Me veo obligado a emplear mercenarios para defender las costas de España y de Italia del acoso de los piratas, no todos sarracenos ni empleados de Barbarroja. Pero no te digo todo esto para mover tu voluntad ni venir en pedir tu ayuda en la única medida en que me la puedes dar. Te lo digo para que te des cuenta de cuán delicada es la situación y comprendas qué lejos estamos de una paz robusta y duradera. Los tiempos son malos, pero ya estoy acostumbrado a eso. Los tiempos de un emperador son siempre difíciles y más con súbditos como tú. Te podía haber dicho lo mismo en Worms porque también entonces corrían tiempos difíciles pero entonces no tuvimos ocasión de hablar porque tú no te avenías a ello, aunque yo lo necesitara más de lo que podía confiar a mis príncipes, obispos y consejeros. El mismo día de tu salida de Worms recibí la noticia de que mis tropas habían terminado con la revuelta de los nobles y principales castellanos que de haber triunfado habrían puesto punto final a mi reinado en España y reducido el Imperio a unas provincias italianas, flamencas y borgoñonas y unos Estados alemanes divididos por cuestiones religiosas. Pero el día antes no lo sabía y tenía razones para temer lo peor, mientras Federico de Sajonia y hasta sospecho que Felipe de Hesse aprovechaban el cisma para violar a mis espaldas el derecho constitucional del Imperio. Fíjate qué fácil me hubiera sido acabar con la conjura y dejar que los Scévolas se volvieran a casa con el rabo entre las piernas, habiéndoles hurtado el motivo de la discordia. Pero dejé que fuera otro quien se aprovechara de tu vulnerabilidad para que así comprendieras el procedimiento por el que yo quería llegar a la paz religiosa.

El emperador hizo una pausa.

—Ignoro si lograré fundar el cuarto imperio universal. Me parece que mis fuerzas no dan para tanto. Pero te aseguro que quiero la paz y la unidad del Imperio y te juro, Lutero, que las alcanzaré.

—Sólo Dios conoce la cifra y el momento de ese cuarto imperio universal, anunciado por Daniel, que será el último y se prolongará hasta el Juicio Final. Sólo Dios sabe qué es lo que está reservado a todo imperio y cuál es el lugar que le espera a cualquier hombre tras el Juicio.

—Dios tiene un brazo temporal, ¿no es así? Un brazo temporal y hasta una cabeza para tratar de alcanzar sus designios y corroborar que todo lo que se haga sea conforme con la palabra divina, ¿no es así?

—Así es, majestad.

—Pues bien, esa cabeza me dice que Dios quiere la paz y la unidad del Sacro Imperio y por eso no hay fuerza en el mundo capaz de distraerme de ese empeño.

—Ojo, majestad, hay que andar con sumo tiento siempre que se menciona a Dios. Una ley nos prohíbe mencionar su nombre en caso de duda y nos advierte de hacerlo sólo para el bien de las almas.

—¿Y te parece que esa unidad y esa paz son cosas de poca monta? ¿Que se debe poner en duda el destino de Alemania y del Imperio?

—Antes al contrario; y digo más: si Alemania estuviese regida por una sola cabeza y un solo brazo, sería invencible y tendría en vuestra cesárea majestad un señor con todas las de la ley. El emperador Otón consiguió dominarla casi por entero y en muchas proporciones estamos viviendo de sus rentas. Si hubiera alguien que pudiese hacerse con ella por entero, resultaría invencible porque posee buenas regalías, minerales, ciudades, tributos, bosques, plata y soldados.

—Entonces —interrumpió Gattinara—, ¿cómo poner en duda la santidad de los designios imperiales? ¿Cómo no creer, y estar seguro de ello, que la luz divina ilumina tales designios? ¿Acaso Dios no se complace en la contemplación de un Sacro Imperio fuerte y unido? ¿Acaso no es la misma obra de Dios?

—No —dijo con firmeza Lutero—. No se pueden confundir las cosas. El hombre es un pecador, radicalmente un pecador *(simul iustus et peccator)*, y no puede suplantar la obra de Dios ni menos aún perfeccionarla. Querer hacerlo o pensarlo es un pecado, el mayor pecado, el pecado de Satán que no se conformó con la creación de su Señor y entendió que él podía mejorarla. La obra de Dios está hecha de una vez para siempre y ninguna acción del hombre puede alterar su destinación. No es el hombre quien, pasando por alto a Cristo y haciendo valer sus buenas obras, se hace propicio a Dios. Es Dios quien, por el sacrificio de su Hijo, se ha reconciliado con nosotros, los hombres pecadores. Nuestro Señor Jesucristo también nos redimió de una vez para siempre y para gozar de esa redención basta con tener fe en él y creer en su sacrificio en la cruz. Y con esa redención basta; cualquier segunda redención, traída por el curso de las buenas acciones de los hombres justos, sería sacrílega y bastarda. No; que nunca pretenda el césar hacer un remedo de la obra divina ni quiera tomar sobre sí una parte del sacrificio del único Hijo.

—Entonces —intervino Gattinara con más parsimonia que antes y con un timbre más enjundioso que polémico— si todo está hecho de una vez para siempre y ninguna determinación trascendente está al alcance de los hombres, bien podríamos nosotros, los hombres del siglo, cruzarnos de brazos y contemplar sin más el curso de los hechos, a sabiendas de que ninguna intervención humana ha de mudarlos. ¿No es de señalar en esa doctrina un requerimiento al ocio y una dejación de los deberes y los trabajos que exige la cosa pública?

—En modo alguno. De ninguna manera. Bien claramente lo señala san Pablo en su carta a los romanos. Porque si Dios ha establecido dos clases de gobierno entre los hombres, uno espiritual regido por el Verbo y otro secular fiado a la espada y al respeto a las leyes civiles y temporales, de la misma manera que no cabe mayor falta que desoír la palabra divina para la atención de las almas, no cabe mayor pecado mundano que declinar el uso de la espada para establecer el reino de la justicia. No soy de los que tienen un alto aprecio por los místicos y contemplativos, que se refugian en el misterio divino para llevar una vida de sosiego, ajenos a las tribulaciones de este mundo. El justo vivirá por la fe, así lo dice el apóstol, pero no de la metafísica o de la poesía, esas pequeñas cosas.

—Pero si es así —apuntó el emperador; en su expresión se conjugaban simultáneamente la intensidad y la calma— que Dios ha establecido dos clases de gobierno para los hombres (y me agrada cómo lo has formulado y reconozco que nunca lo había escuchado antes, dicho de esa manera), tendrás que reconocer, doctor Lutero, que ambos rigen y manejan materias, cuerpos, leyes y actos diferentes, unos espirituales y otros corporales (o seculares, como tú dices), que rara vez se tocan ni entran en contacto entre sí. Para el hombre de iglesia la cosa es relativamente sencilla: jamás empuñará la espada y el orden civil le será suministrado por la autoridad secular. Y en cuanto al gobernante, su condición le impone establecer la paz y la justicia entre sus súbditos y defender las fronteras de la república cristiana. Pero ¿no tendrá también que dirigir sus soldados contra la rebelión de los sectarios?

—Contra los sectarios, sí. Pero nunca contra los discípulos de Cristo y los seguidores de sus Evangelios.

—Si esos dos gobiernos que dices atienden a cosas diferentes también concurren en edades distintas. El tiempo del espíritu es el de la eternidad, cuando no ha de brillar el acero de la espada, en tanto la edad de hierro es el tiempo de nuestros cuerpos, de nuestros padres y de nuestros hijos. Tan sólo te pido, por lo mismo que puedo reconocer tu autoridad para gobernar las almas hacia la eternidad y la salvación, que nos dejes a nosotros arreglar los asuntos de aquí abajo, en los pocos años que forman nuestro tiempo.

—¿En qué tiempo vive Roma? ¿En qué tiempo exige que se le paguen los tributos, los diezmos y las indulgencias? ¿En qué tiempo disfrutan los obispos de sus tierras y de los bienes eclesiásticos? ¿En qué tiempo nos será dado ver la liberación de la cautividad babilónica a que el Papa tiene sometida a la Iglesia de Cristo?

—Deja en paz a Roma. Déjala en paz, ya hablaremos de eso más adelante.

—No, no la dejo en paz. No la puedo dejar en paz. Roma es la sede del anti-Cristo, majestad, el enemigo del género humano y en particular de Alemania.

—Si es así ya tendrá su castigo —intervino Gattinara—. Quiero recordaros, doctor, las mismas palabras del apóstol que habéis mencionado antes: «No os toméis vosotros mismos la justicia, dejad sitio a la cólera de Dios.» Quiero creer que no adoptaréis la conducta que habéis condenado en otros, doctor; que nunca os arrogaréis la obra de Dios. Y aunque así lo hagáis en el orden espiritual, y de lo que tendréis que responder en el día del Juicio si no antes, en el orden material ¿vais a pretender alzaros solo contra el poder de Roma y contra el parecer de toda la Cristiandad?

—¿Y por qué no? ¿Acaso tengo que temer a Roma, acobardarme y acallar mi conciencia por temor a ella? Si estoy solo más valor tendré pues al no arrastrar a nadie a la lucha sólo tendré que ocuparme de mi suerte. Moisés estaba solo en la salida de Egipto, Elías estaba solo en tiempos del rey Acab; y después de él también estaba igualmente solo Eliseo; Isaías estaba solo en Jerusalén; Oseas, solo en Israel; Jeremías, solo en Judea; Ezequiel, solo en Babilonia. La palabra de Dios, que siempre es un mandato, llega en la soledad y el hombre justo no puede desoírla y es su deber transmitirla. No dudo de que en el empleo del césar está prescrito que procurará por encima de todo la unidad del Imperio. No lo dudo y así debe ser para que Alemania sea poderosa, invencible y justa. Pero también sé que mi deber es denunciar a los asnos y cerdos de Roma y acabar de una vez con sus emanaciones. No veo que una cosa sea incompatible con la otra. Vos atendéis a la unidad del Imperio y yo me ocuparé de ajustarle las cuentas al Papa.

—Estás loco, Lutero —dijo Gattinara.

—Calla —le cortó el emperador. Si de entre todos sus consejeros había elegido a Gattinara para que le acompañara en aquella entrevista, obligándole a abandonar su retiro en el Tirol y forzándole a un viaje excesivo para su quebrantada salud, se debía sin duda al tacto, la agudeza y la liberalidad que había mostrado siempre hacia la cuestión evangélica y sobre todo en la última crisis provocada por la liga que el rey Francisco había acertado a formar en Cognac con el papa Clemente, Florencia y Venecia. Gattinara había comprendido al punto la magnitud del conflicto que se venía encima entre el poder espiritual y el poder temporal y, en evitación de las posibles e imprevisibles consecuencias que podía tener entre los españoles, había apelado al Consejo de Castilla para que confirmara el derecho del rey a defender el país con las armas, incluso contra el Papa. Poco después había escrito una larga carta a Erasmo en la que venía a demostrar que la Cristiandad se dividía en tres grupos: según él papistas y luteranos eran igualmente obstinados e intransigentes y de entre ellos no podía salir la concordia; pero un tercer grupo de personas, en el que incluía a Erasmo, a sus seguidores y a sí mismo, víctimas de tantas calumnias partidistas, mirando por el bien y la unidad de la Cristiandad tenían que desoír las exigencias de unos y otros y dar a luz un pensamiento propio e independiente. El emperador —confiaba Gattinara en su carta— no sólo sería así capaz de erradicar la herejía luterana sino que contaría también con un cuerpo de doctrina imprescindible para acometer la reforma de la Iglesia, a todas luces necesaria. Y a tal efecto, uno de los secretarios de Gattinara, Alonso Valdés, había escrito por encargo de su patrón dos diálogos, *Mercurio y Carón* y *Lactancio y el arcediano*, que respondían plenamente a ese propósito —aunque literariamente teñidos por la melancolía de lo imposible—, en tanto su hermano Juan trazaba la figura del monarca moderno (no ávido de posesiones y reacio a las ceremonias y triunfos, en abierta oposición al anticuado perfil del mismo sujeto que dibujara Maquiavelo, de Florencia, en la década anterior) que había causado una honda impresión al emperador.

—Nos movemos en dos tiempos distintos —dijo el emperador—, tal como antes te decía. A vosotros, frailes y párrocos, os han formado y acostumbrado para vivir en la paciencia, que es la forma que toma la esperanza para transcurrir por este mundo. Y nada que ocurra un día puede alterar la promesa de bienaventuranza, tras el Juicio. Pero nosotros, los hombres del siglo y más los que hemos sido elegidos para el empleo de la gobernación, vivimos necesariamente en la impaciencia porque lo que ocurra hoy puede alterar en todo lo que tenemos que hacer mañana y no podemos dejar pasar un solo día sin acometer los problemas que no quedaron resueltos en el anterior. Tú tienes en Cristo un aliado firme, que en nombre de Dios estableció de una vez para siempre su testamento con los hombres, en tanto mis socios son volubles e interesados y no vacilan en romper sus pactos en cuanto atisban un mayor o más pronto beneficio. Lo estás viendo todos los días, ni siquiera el Papa sabe respetar sus compromisos y cumplir sus promesas. Lo que un día queda atado al siguiente vuelve a estar suelto (y para qué te voy a contar de la habilidad del rey Francisco en hacer y deshacer lazos) y todo el arte de la política nace de un momento de anticipación, del ensueño del fracaso, del miedo a la mala voluntad y de la distancia que el pastor debe mantener con su rebaño, no sea que en un momento de pánico sea aplastado por él; de que la supervivencia, Martín, es el resultado a partes iguales de un milagro y de una voluntad y que si uno de los dos falla el negocio irremediablemente se viene abajo. Y no es tanto su vigilia lo que distingue al gobernante de entre los demás hombres sino la costumbre y la ciencia que ha adquirido para, hasta en sueños, estar tocando los hilos del destino, como un ciego la correa de su perro. Vosotros, los hombres de religión, vivís del crédito en tanto nosotros los gobernantes estamos obligados a pagar en metálico, todos los días, como los cambistas; qué malo es que una misma persona quiera tener en su mano las dos economías. Te digo todo esto para que recapacites; te repito lo mismo de antes: vive tu tiempo y deja que los demás vivan el suyo. Hemos dejado que las cosas hayan ido demasiado lejos y ahora nuestra primera preocupación debe ser la restauración de la paz en Alemania. Y una vez conseguido eso yo te aseguro (y te lo prometo) que pondré todo mi empeño en llevar a Roma y colocar a la cabeza de su Iglesia a verdaderos seguidores de Cristo.

El doctor escuchó la segunda parte del discurso del emperador con la boca entreabierta y su expresión puso de manifiesto que había quedado mellado.

—Es cierto, majestad, es cierto. Tenemos que vivir de la paciencia y yo confieso que en ocasiones he estado a punto de perderla. Sin embargo, pienso que Dios me ha puesto a prueba en diversas circunstancias y sólo he perdido los estribos por las tentaciones y maquinaciones de Satanás. Si acierto a comprender vuestras palabras creo que una paz o una tregua religiosa es posible para Alemania. Pero no sé si Roma está dispuesta a ello, porque es mucho lo que teme puesto que ya no tiene ninguna fe en Cristo y todo lo fía a su fuerza temporal, a su dinero y a sus intrigas. Por consiguiente dudo que os acompañe en vuestros esfuerzos, sobre todo a partir del momento en que sea informada por cualquiera de sus espías de que tenéis en mí un aliado para conseguir la paz que tanto ansiamos. Desconfío de ese Médicis borracho, tocado con la triple corona, y no puedo aconsejar a nadie que se asocie con él.

—Retén la lengua, Lutero —advirtió Gattinara—, no te dejes arrastrar por las maquinaciones de Satanás. El emperador conoce mejor que tú a Clemente y sabe muy bien hasta dónde se puede tratar con él.

Lutero hizo un gesto descortés.

—Me pregunto si una propuesta tan franca puede concluir en un mayor desastre para el Sacro Imperio y para vuestra majestad. Roma está acabada pero es mucho el veneno que todavía puede destilar por su sacrílega boca. Bien es verdad que el Imperio puede prescindir de los Estados florentinos, sin resentirse de ello; antes al contrario, cuantos menos florentinos más robusta y unida será la familia. Pero por otra parte, esa paz o esa tregua ¿en qué consiste? ¿A qué tengo que esperar para proseguir mi misión evangélica sin ser tenido por hereje y proscrito? Si como advierto ya no se me pide una retractación, ¿a qué tengo que esperar para que se revoque el edicto y tanto yo como los verdaderos seguidores de la palabra de Cristo podamos vivir como ciudadanos de pleno derecho, sin temor a la persecución y al castigo que exige Roma? Si entre todos hemos de buscar la paz que necesita Alemania, ¿por qué he de ser yo quien haya de renunciar a sus credenciales y deponer la única actitud que me ha sido dado adoptar? ¿Por qué no puedo recuperar la libertad y la dignidad de las que he sido despojado?

—Todo se andará, Martín; déjalo en mis manos. Ése es justamente mi cometido, pues no tengo otro presupuesto que la paz de mis súbditos ni más arancel que el fin de las discordias. Por algún sitio hay que empezar y si he recurrido a este encuentro es porque estoy persuadido de que puedo confiar en ti (y que esa confianza la transmitirás a tus amigos y seguidores) antes que en ese enjambre de romanos a los que, si he de ser franco, puedo obligar a aceptar mi política por la fuerza de los ejércitos imperiales. Si un día he de verme empujado a llevarlos de nuevo a Roma, créeme, no será para dar satisfacción a sus pretensiones ecuménicas y tendrán que lamentar haberme movido a dar ese paso. Pero también estoy convencido de que tan pronto como pueda ofrecer una garantía y una prueba de que cuento con el poder y la asistencia de otros para restablecer la concordia religiosa de Alemania, no tendrán más remedio que aceptar mis razones si no quieren que la culpa del cisma recaiga sobre ellos. La culpa para los italianos es poca cosa, pero les importa mucho su comercio, que se quedará en nada si se les cierran las puertas de los Alpes. ¿Acaso crees que les inquieta algo tu doctrina evangélica y tu teología de la cruz si no es por el riesgo de perder sus rentas alemanas? ¿Crees que son indiferentes a las riquezas de nuestros obispados? ¿Supones que tienen el menor escrúpulo a la hora de hacer negocios con el infiel y vender al turco el cobre que necesita para sus armas de fuego y la clavazón de sus galeras? ¿Quién crees que les suministra sal y esclavos a cambio de la seda y el terciopelo que comercian por toda Europa? Las cosas han cambiado en el orbe y el Mediterráneo ya no es su centro, ni siquiera ese mar nuestro por el que conducir el comercio entre Oriente y Occidente bajo la protección de nuestras enseñas. Las cosas van en otra dirección y hasta el propio turco quiere hacerse europeo. ¿Y quién puede impedir que transforme esa famosa y exagerada basílica que tanto te ofende en otra nueva mezquita, como hizo de Santa Sofía? Pero para impedirlo necesito la unidad, ¿entiendes?, la unidad del Sacro Imperio que con el reino de España forma la única fuerza europea capaz de oponerse al sultán y empujarle de nuevo hasta el Asia. Y esa unidad exige por el momento tu silencio (no tu retractación), tu prudencia y tu acomodación a las presentes circunstancias.

—Me he acomodado a las circunstancias actuales, mucho más penosas, y puedo recluirme en mi ciudad y refugiarme en el silencio si los romanos se avienen a mantenerlo. Pero que nadie lo rompa.

Acaso como acompañamiento providencial de su propuesta se hizo un largo silencio, en tanto Gattinara observaba el fuego y el emperador, apostado junto a la ventana, se entretenía con la animación del patio. Al fin el silencio fue roto por Lutero.

—Considero que la mejor fórmula para que ese silencio sea respetado y los evangélicos podamos recuperar nuestra dignidad de hombres libres sea reanudar aquel movimiento de reforma del Imperio que ya puso en marcha vuestro augusto abuelo, el emperador Maximiliano y, entre otras cosas, proclamar como propia de un territorio aquella confesión que sus habitantes han adoptado libremente, *cuius regio, eius religio.*

Gattinara se volvió.

—Imperio e Iglesia son la misma cosa, como lo son la religión y el derecho. Romper una de ellas es romper al otro. Son inseparables y su unión es, cabe decir, sacramental.

—Eso es justamente lo que no se puede mantener en los momentos actuales y más aún si estamos conformes en que existen, establecidos por Dios, dos clases de gobierno para los hombres. El imperio puede ser sacro pero no eclesiástico y su constitución ha de ser alterada, como quería el emperador Maximiliano, para dotarle de un fundamento secular y un derecho inspirado en el estado de necesidad. Sólo así, y no ateniéndose a las antiguas fórmulas, podrá detenerse la desintegración del Imperio.

—Justamente eso sería su desintegración —replicó con viveza Gattinara— en tanto que depositario y administrador del *ius divinum positivum*, en tanto que solio donde tiene su apoyo la Santa Iglesia Universal. Y lo que tú pretendes, Lutero, es que el mismo Imperio sea el patrono y tutor del cisma.

—No quiero saber nada de cisma, no quiero oír hablar de eso y todos mis votos y mis esfuerzos se dirigen hacia la reconciliación de las confesiones. Precisamente por eso creo que la mejor solución del presente conflicto reside en la promulgación de un sistema de reglas paritarias para las dos confesiones, distribuidas en sus regiones y Estados, seguida de un mandamiento imperial que *(expressis verbis)* establezca como principio jurídico constitucional la reunificación de las iglesias que un día u otro ha de llegar porque es deseo de Dios que su rebaño sea sólo uno. Pero entretanto el Imperio ha de ser el *Corpus Evangelicorum et Catholicorum* si, inspirado en el estado de necesidad, desea conservar su soberanía en todo su territorio y el privilegio de su justa gobernación, sin tomar partido por una confesión en oposición a la otra.

—Insisto, jamás un imperio se defiende con su partición —interpuso Gattinara. Su postura (y su palabra) era firme a la vez que sutil. Tal vez en connivencia con el emperador era su propósito oponerse a las tesis de Lutero, pero no tanto para refutarlas cuanto para obligarle a exponerlas y explicarlas hasta extenderse incluso en detalles de poca monta sobre cuyo acuerdo, mucho más que en el sobreseimiento de sus diferencias y discrepancias de orden mayúsculo, confiaba cimentar los términos de la tregua. Eso era lo que buscaba: un entendimiento, y un principio de acuerdo, sobre algunas diferencias secundarias y algunos conflictos locales, que señalase el camino para encontrar la concordia general de los Estados—. Si no está del todo partida será posible encontrar el artificio para lañar la pieza. No si está rota. Lo que digo, Lutero, y no hago sino repetir las palabras del emperador, es que ante todo hay que preservar la unidad; asegurada ésta ya nos encargaremos nosotros de propiciar la reunificación de las confesiones. Lo que propones no sólo se aleja de nuestro proyecto sino que de llevarlo a cabo pondrá a parte de Alemania fuera de nuestra jurisdicción y a la postre puede conducir al uso de las armas para aplastar la rebelión. La nueva constitución del Imperio, sobre bases jurídicas seculares, es poco menos que la institucionalización del cisma y la división de Alemania en dos religiones antagonistas. Lo que está en juego no es sólo la defensa de Europa contra el sultán sino también el destino de Alemania, dividida en dos confesiones yuxtapuestas, quién sabe para cuánto tiempo. Acaso para siempre. Y el de Europa también, por supuesto, cuyo centro, riqueza y poder se desplaza hacia estas tierras y estos pueblos del norte, privados de ejercer el predominio que les corresponde si como consecuencia de un error constitucional han de carecer de la cohesión política imprescindible para asumirlo. Sólo la Europa germánica, Lutero, puede imponer la paz al resto de los pueblos vecinos y si no logramos consolidar esa potencia central corremos el riesgo de ver a todos los Estados y reinos que la rodean enzarzados entre sí en innumerables guerras, por adquirir ese predominio del que tan ligeramente vamos a hacer dejación. Más y peor aún, porque todos esos pueblos (franceses, flamencos, daneses, polacos, Dios sabe si hasta los suecos) caerán sobre Alemania para hacerse con los fragmentos de esta nación dividida y levantarse con una hegemonía europea a la que por sí mismos no tienen derecho. Las cosas han de hacerse por su orden, como antes decía el emperador: primero la unidad y luego la concordia. No intentes subvertir ese orden porque es posible que nos quedemos sin una ni otra.

—Lo entiendo y lo apruebo —respondió Lutero— y en nada me opongo al proyecto imperial para preservar ante todo esa unidad. Pero no hay que olvidar (y es lo único y último que sostengo) que esa unidad ha de ser política puesto que la de la fe ya se ha roto a causa de la intransigencia y la perversidad de Roma. Así que para salvar esa unidad, y a riesgo de verla amenazada por las exigencias de ambas confesiones, el Imperio debe asentarse sobre una constitución secular y reconocer la paridad de las dos iglesias, sin entrar en el litigio de las almas. Sólo así todos los alemanes, cualquiera que sea su confesión, podrán cerrar filas en torno al emperador y llevar a Alemania al lugar que le corresponde. No sólo es de justicia (lo que yo propongo) sino que es la única vía aceptable y práctica para preservar esa unidad, pues por la fuerza los alemanes no van a renunciar a su credo y optarán por la independencia política antes que aceptar una fe que les venga impuesta.

—La fórmula será posible un día, quizá no lejano, pero hoy no lo es. Hoy por hoy es imposible llevar a cabo un reconocimiento de las dos iglesias si no viene acompañado de una partición correspondiente de los bienes, los derechos y las competencias eclesiásticos. Si ya es difícil proceder al reparto del patrimonio de la Iglesia, que querrán para sí unos y otros, ¿qué decir de sus dignidades, de sus privilegios y de sus representantes en el gobierno del Imperio? Aun suponiendo que las parroquias fueran distribuidas en las dos confesiones diferentes, de acuerdo con la mayoría de sus feligreses, ¿cómo se llevaría a cabo esa división de los obispados, de los tribunales eclesiásticos e incluso de los representantes en la dieta? Sólo de pensarlo me estremezco. Semejante decisión, en la situación actual, y aunque viniera avalada tanto por Roma (que sospecho que nunca se avendrá a ello) como por el emperador y los príncipes y electores, conduciría a Alemania a la guerra civil. O mucho me equivoco. Una guerra civil por cuestiones religiosas. Nunca se podrá concebir mayor disparate. Una guerra civil por problemas de conciencia. Una guerra civil por diferencias de opinión. Una guerra civil entre papistas y luteranos; una guerra entre los soldados de Cristo; los predicadores de la paz, la caridad y el amor al prójimo, envueltos en una sangrienta guerra civil. Excelente solución.

—Alto —dijo Lutero—, una guerra civil enmascarada con los problemas de la conciencia cristiana. O mejor aún, una guerra que se aprovechará de la confusión creada en la conciencia cristiana por la insaciable y contagiosa codicia de Roma. Estoy dispuesto a morir por Cristo en cualquier momento (y será él quien así lo disponga) pero no por el obispado de Maguncia.

—¿Significa eso que los evangélicos renuncian al obispado de Maguncia? ¿Al de Colonia y al de Estrasburgo? ¿Y al de Ulm? ¿Al de Nuremberg y al de Augsburgo?

—Los evangélicos no necesitan obispados porque no admiten otra jerarquía espiritual que la de Cristo. No sé cuántas veces tendré que repetirlo.

—¿Y las rentas? ¿Tampoco necesitan sus rentas?

El emperador se volvió hacia ellos, se levantó de nuevo e hizo con la mano un gesto a Gattinara.

—Te lo ruego, Gattinara, déjanos solos un momento.

Gattinara no apuntó la menor señal de disconformidad; sin duda estaba acostumbrado a tales instrucciones y bien podía ser que ésta estuviera ensayada o prevista. Se levantó con dificultad y arrastrando los pies hizo una contenida reverencia al emperador. También saludó a Lutero al pasar junto a él.

—Adiós, Lutero, que el Señor te ilumine y te ayude.

Cuando alcanzó la puerta, el emperador añadió:

—Saldremos dentro de media hora, adviérteselo a Kilian. Despacha un mensajero para que lleve a Ulrich la noticia de nuestra llegada. Será mejor tenerle prevenido.

—Así son las cosas, Martín —dijo el emperador una vez que quedaron solos—; el destino de Alemania puede esperar o quedar en suspenso, pero una cacería no se demorará unas pocas horas. El venado tiene su horario y nadie quiere correr con los gastos de demora. En política todo se puede posponer si no asoman los costes suplementarios y, por lo mismo, en cuanto se presentan hay que encontrar la solución inmediata. Hay que vivir al día porque el miedo a la quiebra es más fuerte que el miedo a la ruina. Todo esto hay que aprenderlo de los banqueros que, por el camino que vamos, tendrán en su día las riendas del Imperio. Me pregunto muchas veces qué clase de finanzas tiene el turco porque las del rey Francisco las conozco de memoria.

—Se cuenta que en una ocasión —dijo Lutero, más sosegado y evidentemente complacido por aquella entrevista a solas— vuestro augusto y cesáreo abuelo el emperador Maximiliano rompió a reír con todas sus ganas. Cuando alguien le preguntó por el motivo de una risa tan destemplada, su cesárea majestad respondió: «Me río cuando pienso en lo bien que Dios ha dispuesto sus dos gobiernos, al encomendar el espiritual a un mierda borracho y clerical, es decir al papa Julio, y el civil a un cazagamuzas como yo.»

El emperador no se inmutó.

—Creo que te debería reprender por una broma tan grosera, pero las anécdotas y chistes de familia hay que aceptarlos como vienen y hasta reírlos. Convengo en lo del Papa borracho y clerical (por no añadir otras cosas), pero lo de cazagamuzas no te lo paso.

—No era ni mucho menos mi intención establecer una analogía.

—Déjalo y vamos al grano. Como antes te decía, la gamuza no quiere esperar aunque la caza tenga en vilo a toda Alemania y media Europa. Martín, no podemos seguir así, hay que resolver la división de Alemania que se agrava y ahonda cada día que pasa. No podemos seguir así; hay que resolverla antes de que el turco reemprenda la marcha en dirección a Pest. Y para detenerlo necesito a Alemania, la necesito por encima de todas las cosas y más que mis otros reinos todos juntos. Pero tu solución hoy no es posible y Gattinara lo ha explicado con toda claridad. No digo que no sea la más acertada en un futuro cercano pero hoy no es posible. Ni Roma ni sus prelados ni algunos príncipes alemanes están dispuestos y preparados para aceptarla y un mandamiento imperial imprudente podría conducir a la guerra civil, en el momento más inoportuno. No sólo el turco sino también el rey Francisco (que como sabes está en contacto permanente con el sultán y con Zapolya, y los anima a atacar nuestras fronteras orientales) se nos echaría encima; sólo está esperando un movimiento hacia el este de las tropas de Leyva para cruzar el Ródano, ocupar la Lombardía y entrar en triunfo en Milán, que es lo que más codicia de este mundo. No lo entiendo ni lo entenderé nunca; por qué París y el Imperio, como dos viejos rijosos, han de estar siempre a la greña por la posesión de esa furcia. Y lo mismo pasa en el Rin, donde un movimiento en falso de Nassau atraería de inmediato a Vendôme, a este lado del río, con el pretexto de defender los obispados de Metz, Verdún y Maguncia, pero en verdad para roturar la raíz germana del Imperio, someter a vasallaje a Hesse y el Palatinado y restaurar en París la corte de Aquisgrán. A duras penas puedo tocar un peón. ¿Te imaginas lo que puede ocurrir si como consecuencia de la guerra religiosa tengo que mover los ejércitos de Leyva y de Nassau hacia Sajonia y Brandenburgo para enfrentarme a las tropas rebeldes de los electores, los Hesse, Luneburg, Grubenhagen, el conde de Mansfeld, el príncipe de Anhalt? Es imposible imaginar lo que saldría de ahí y en tu conciencia religiosa tiene que tener entrada una consideración militar, un cierto honor histórico. Necesito una Alemania unida porque es el corazón de Europa. No hay que ser un águila (y no estoy haciendo una referencia a mis lábaros) para comprender que la fuerza de Europa se desplaza hacia el norte porque el Islam y las Indias han hecho del Mediterráneo un mar inservible, tan sólo útil para comerciar a la manera de genoveses y venecianos pero insuficiente para fundar sobre él esa monarquía universal de la que habla Gattinara. De la vieja política que heredé de mi abuelo Fernando, el aragonés, apenas queda nada y si saliera de su tumba quedaría escandalizado al ver la dirección que han tomado los asuntos de la Cristiandad. Se unió a los castellanos entre otras cosas para tener mano de obra con la que acometer la conquista del Mediterráneo y fundar en las riberas españolas la nueva Roma y he aquí que las Indias, que bien podían haber permanecido escondidas uno o dos siglos más, se llevan lo mejor de nuestras fuerzas y nuestras naves en dirección de Poniente. No creas que exagero; aquí en estas tierras alejadas del mar Océano no habéis percibido todavía la importancia del suceso, pero en Castilla ya hay quien está pidiendo que vuelva los ojos hacia allá, que eleve a la dignidad de virreyes a adelantados y gobernadores, que distraigamos la atención de Europa para llevarla a las islas y la Tierra Firme, a Paria, Darién y Nueva España. Esas tierras esconden tanta plata como trampas y peligros y gracias a ellas nos enriqueceremos y engrandeceremos pero no nos harán más fuertes porque no pueden darnos hombres. Antes nos los quitan. Hoy por hoy nadie las codicia pero en cuanto sea sabido que con sus metales podemos acuñar moneda de ley, nuestros enemigos se abalanzarán sobre la presa; ya verás qué poco tardarán franceses e italianos en llevar allí nuestras guerras. Por mi gusto abandonaría la empresa y si estuviera en mi mano dejaría la finca en barbecho durante al menos una generación, en tanto arreglamos los asuntos de aquí que son los que importan y los que importarán siempre, ocurra lo que ocurra en esas tierras desalmadas.

—El emperador de Occidente hablando como un hacendado, ésa debe ser la condición del gobernante y de ahí, solamente de ahí, puede extraer todo su saber y alcanzar la grandeza. Con frecuencia he considerado que el gobernante y el gobernado a la fuerza han de oponerse pues tienen puntos de vista distintos si no contrarios. El primero examina todos los problemas desde arriba, los abarca simultáneamente y debe discernir cuáles son los que merecen atención especial para abordarlos por su orden; mientras que el pueblo, que los considera desde abajo, sin conceder importancia a lo que no le atañe, exige siempre la resolución de lo más inmediato y contingente y considerará un crimen de lesa majestad cualquier desvío de la mirada imperial que pase por encima de sus cabezas. Cuando pienso en política no acierto a salir de los problemas municipales y del destino de Alemania, pero cuando pienso en la humanidad me siento prisionero de la conciencia cristiana.

—Y sin embargo, no hace falta demostrarlo sino creerlo, todo va unido: la humanidad, Alemania, la conciencia cristiana y la monarquía universal.

—Majestad, ese cuento de la dominación universal por un nuevo césar (un nuevo Augusto o un nuevo Sardanápalo) no me gusta nada. Que me perdone Gattinara, pero eso no va conmigo. No me agrada nada esa idea si ha de venir acompañada por el sonido de las trompas. Prefiero con mucho el equilibrio de los poderosos que, sometidos a su recíproca rivalidad, han de limitar sus abusos. Sólo creo en la dominación de Cristo, en el reino del espíritu, y siento que la vida temporal del hombre será siempre más grata y apacible bajo un príncipe justo aunque no sea muy poderoso.

—Pero el Imperio es el Imperio, Martín, y ha de sostenerse porque es la mejor garantía de la soberanía del Estado y el mayor freno a la ambición y al descaro del príncipe. Mira a tu alrededor y dime qué ha ganado el campesino o el burgués alemán con la desobediencia de sus príncipes. El poder del rey de Israel, bien lo sabes, estaba limitado por la autoridad de los profetas y si como consecuencia de tu cisma los príncipes alemanes se desentienden de la jerarquía de Roma no harán sino alejar a sus Estados de la imagen del reino de Dios, establecida de una vez para siempre por tu maestro y santo patrono Agustín. El Imperio debe ser el reflejo terrenal de ese reino de Dios, donde reinan la paz y la justicia de las que se deriva la concordia, informado de la doctrina de la Iglesia que tiene que constituir un solo cuerpo con él.

—Mucha gente ha leído a san Agustín como ha querido y lo ha interpretado a su manera. En ningún momento se pronuncia por esa identidad o esa coincidencia entre los dos gobiernos y nada le irrita tanto como aquellas pretensiones de sacralización que abrigaba el Imperio romano. Por eso no deja piedra sobre piedra de la doctrina de Eusebio, deducida de tal pretensión. No; lo más que afirma san Agustín es que nadie puede fundar la república tan firmemente como los príncipes cristianos. También los romanos estaban de acuerdo en que sólo la concordia fundaba las repúblicas, pero no es en sus dioses (dominados por la concupiscencia, la rivalidad y la discordia) donde puede encontrarse el modelo de la buena gobernación. Si el Estado ha de seguir el modelo del reino de Dios no será necesariamente guiado por una idea imperial de dominación universal sino, primero, porque asegura la paz y la justicia entre sus súbditos y, segundo, porque conduce a su pueblo para que al final de su peregrinación por la tierra se abran para él las puertas del reino de los cielos. Y eso, majestad, lo puede hacer un príncipe apartado del Imperio y alejado de la obediencia a la sacrílega Roma, si el Imperio no sigue la senda de la paz y opta por la guerra en lugar de la piedad.

El emperador calló por unos instantes. Observó a Lutero con una mirada sostenida y esviada. Reprimió o abortó un gesto de fastidio. Lanzó una ininteligible interjección y golpeó débilmente con el puño el brazo del sillón.

—Necesito a Alemania —dijo al fin—. Necesito una Alemania unida y solidaria a una Iglesia que por el momento sólo puede ser la de Roma. Sólo así tendré mis espaldas cubiertas, sobre todo por el lado del Ródano, para marchar contra Solimán. Necesito el apoyo de Clemente, pero no será por mucho tiempo, tenlo por seguro. Con tu silencio y tu tácito apoyo puedo resolver el conflicto con cierta brevedad, tal vez en unos meses, no mucho más de un año. Fíjate en que no descarto la posibilidad de llevar de nuevo mis ejércitos a Roma y poner término a su papado si no renuncia a su ambigua política con los de Cognac. Mi idea es que el nuevo Papa nombre más príncipes de la Iglesia y convoque un concilio para acometer la reforma, con participación paritaria (otra cosa me parece improcedente) de ambas confesiones. Para acompañar la marcha de los tiempos creo que sería muy conveniente un Papa alemán, acaso de tu confesión. No me disgustaría que así fuera. ¿O acaso Staupitz? Tu opinión al respecto sería la primera en ser tomada en cuenta y nada me congratularía tanto como que tú mismo te ofrecieras para ocupar esa dignidad. Aunque ya te puedes imaginar qué número de dificultades tendríamos que vencer, y no todas en Italia. Si a continuación el rey Francisco, para seguir enredando y en su deseo de dar satisfacción a sus partidarios italianos, desea ofrecer su hospitalidad a Clemente en Aviñón, no seré quien se lo impida, pese a la amenaza que sostenga sobre la Lombardía. Sus pretensiones cismáticas no podrán durar mucho si, bajo dirección alemana, la Iglesia adopta una tras otra las reformas necesarias para adecuarla a la doctrina evangélica y a los tiempos que corren. Confío en los españoles y dominaré a los italianos, una vez más. El inglés no cuenta. Flamencos, borgoñones y alemanes verán reconocidas sus pretensiones y comprenderán pronto que la próxima Europa será obra de ellos en mucha mayor medida que de los latinos. Génova se lo pensará mucho antes de dar nuevas alas al partido francés y Sforza tendrá que rendir cuenta clara de sus últimos pactos, no tan secretos como él cree. En Nápoles y Sicilia la cosa es mucho más sencilla y Venecia se avendrá a formar una nueva liga, incluso prestará algunas naves, si respetamos sus estatutos comerciales; pienso que puedo llegar hasta prometerle un monopolio comercial, al este de Corfú, que nadie más puede conceder y así garantizaría su lealtad, marítima y comercial, claro está. Con tales perspectivas incluso podré obtener lo que siempre me ha faltado, dinero, para negociar con los portugueses en calidad de aliados y no como prestamistas. El elector de Maguncia y el duque Jorge (por más que te odia) están de acuerdo, así como Enrique de Brunswick. Y creo que no me costará mucho esfuerzo llevar a Felipe a mi terreno. En cambio de Federico te encargarás tú. Es la mejor fórmula para que quede entendido que el pacto político incluye el compromiso de reunificación y concordia de las iglesias; la paz religiosa en una palabra.

Ahora le tocó la vez a Lutero. El emperador había lanzado su propuesta con todo ímpetu, pronunciando con precipitación, comiéndose algunas palabras y exagerando las largas vocales flamencas; de esa suerte Lutero quedó un poco desconcertado, y un tanto atrasado, poco menos que cogido por una frase cuando el emperador ya había pasado a la siguiente. Cuando hubo terminado probablemente seguía pensando en Roma y en la impensable oferta que había recibido.

—Jamás volveré a poner mis pies en Italia.

—No me importa dónde pongas los pies. Me importan tus palabras, me importa tu silencio y tus actos. Quiero que sin violar el secreto, cuya ruptura tanto puede afectar a tu buen nombre como al mío, entres a colaborar en este proyecto que tantos enemigos tiene hoy. La máxima discreción es poca para llevarlo a cabo y cualquier ligereza será suficiente para hundirlo. Y quiero que cuando llegue el momento de hacerlo realidad, te atengas a lo dicho y asumas sin ninguna clase de reserva la parte que te toca.

—Siempre que nada me obligue a poner mis pies en Roma.

—Olvida tus pies, condenado Lutero. Los alemanes perdéis media vida pensando en vuestros pies. Como si el pie alemán fuera más pesado, o más delicado, que el del resto de los mortales. Si llegado el momento debes ir a Roma, porque así lo exige la paz de Europa, irás a Roma a lomos de una mula. Y si toda Roma tiene que hacer el petate y llegarse hasta Wittenberg, también lo hará, aunque tengamos que alojar a todos los cardenales en casas de pensión. No te pierdas en los detalles.

El emperador se levantó de su asiento y se acercó a la ventana para observar tras sus cristales el movimiento del patio y los preparativos de su inminente viaje. No recataba las muestras de impaciencia y durante un largo instante dirigió a Lutero una mirada oblicua, interrogativa y desafiante, avivada por la tensión del duelista deseoso de concluir de una vez el lance.

—No te dejes llevar por tus prejuicios; considera que yo también cuento con una considerable carga de ellos que he dejado en Augsburgo, antes de venir aquí. Lo que está en juego es el destino de Europa, y cuando menos el de Alemania, amenazada por una división que, como dice Gattinara, si se produce nadie puede saber hasta dónde calará y cuánto tiempo será necesario para lañar la pieza.

Lutero supo que la entrevista llegaba a su final y entendió que no podía ser desaprensivo.

—Os agradezco, majestad, que vos mismo me deis el gusto y la oportunidad de callar. No hallo placer ninguno en hacer pública la vergüenza y el deshonor de Roma, y de algunos secuaces alemanes, aunque ha llegado el tiempo, según enseña san Pablo, de desenmascarar ante todo el mundo a los malhechores públicos, de ridiculizarlos y castigarlos para que tal escándalo se destierre del reino de Dios. Si me niego a ir a Roma no es por temor a caer yo mismo en el pecado de idolatría, ni tampoco por cuidar mis pies, sino para poner fin a la cautividad a que tiene sometida a la Iglesia de Cristo y hacer que con el tiempo sea una parroquia más, como tantas otras. La Iglesia no tiene sede porque reside en toda alma cristiana que no tiene más señor que Cristo ni debe obedecer otra autoridad que la secular, encarnada en vuestra cesárea persona. Convengo en la idea del concilio, a fin de sentar esta doctrina y aceptar la paridad de las dos confesiones. Existe un numeroso sumario de cuestiones dogmáticas sobre el que tendrá que pronunciarse, de manera inequívoca. Pero para mejor servir a vuestra cesárea majestad, y puesto que no faltarán quienes vociferen que esta idea ha aparecido por consejo mío, me permito sugeriros fiel y humildemente que por el momento no se le otorgue reconocimiento alguno. Porque no he sido hasta ahora, ni lo soy todavía, tan atrevido como para recomendar un conjunto de leyes y ordenanzas tan extenso y capital. Mi opinión sería que en este conflicto se siguiese el ejemplo de Moisés: aceptar, redactar y prescribir las leyes después de que la mayor parte de ellas se han convertido en una costumbre del pueblo que las recibió de sus antepasados.

El emperador se dirigió hacia la puerta.

—Moisés, el pueblo, al diablo con tus comparaciones. ¿Crees que estoy al pie del Sinaí y puedo hacer brotar el agua de la roca de Horeb? ¿Crees que habría venido hasta aquí si tuviera tiempo y paciencia para convertirme en antepasado?

El emperador accionó el picaporte pero retuvo la hoja de la puerta.

—Besa este anillo. Entiendo con eso que no sólo acatas mi autoridad sino también que aceptas la política imperial en cuantos asuntos conciernen a Alemania y la Iglesia. Ya sabes lo que quiero decir con eso. *Thut auf dissmal bey myr das best, das wyl ich bey Euch auch thun*. Y si algo te lleva a apartarte de esa obediencia, responderás ante mí. Adiós.

Cuando Lutero levantó la cabeza, el emperador ya se había ido. Casi no le dio tiempo a tocar su mano.

Tras cerrar la puerta, Lutero se arrimó a la ventana para observar la partida, el mismo ajetreo de la llegada, la misma inquietud de los caballos. Cuando el coche del emperador se perdió de vista dijo Lutero, en la media voz de los eclesiásticos:

—Que el Señor ayude al piadoso Carlos, una oveja entre los lobos. Amén.

Índice

Colección
Autores Españoles
e Hispanoamericanos

Juan Marsé

La muchacha de las bragas de oro (Premio Planeta 1978)
El amante bilingüe

Terenci Moix

No digas que fue un sueño (Marco Antonio y Cleopatra)
(Premio Planeta 1986)
El sueño de Alejandría

Soledad Puértolas

Queda la noche (Premio Planeta 1989)

Rosa Regás

Memoria de Almator

Alfonso Samper

Tendrán que ser crisantemos

Fernando Sánchez Dragó

El camino del corazón (Finalista Premio Planeta 1990)

Jorge Semprún

Autobiografía de Federico Sánchez (Premio Planeta 1977)

Javier Tomeo

El mayordomo miope
El discutido testamento de Gastón de Puyparlier
El gallitigre
Los enemigos

Gonzalo Torrente Ballester

Filomeno, a mi pesar (Premio Planeta 1988)
Crónica del rey pasmado
Las Islas Extraordinarias

Juan Antonio Vallejo-Nágera

Yo, el rey (Premio Planeta 1985)
Yo, el Intruso